STORI'R
AIL RYFEL
BYD

Darlun gan Pyotr Krivonogov, yr arlunydd
o Rwsia, o faes y gad ar ôl Brwydr Kursk –
y frwydr danciau fwyaf erioed.

STORI'R
AIL RYFEL BYD

Paul Dowswell

Addasiad gan Elin Meek
Dylunio gan Tom Lalonde, Sam Barrett a Will Dawes

Darluniau gan Ian McNee

Golygu gan Jane Chisholm   Prif ddylunydd: Stephen Moncrieff

Ymgynghorydd: Terry Charman, Imperial War Museums

Cynnwys

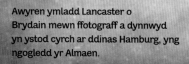

Awyren ymladd Lancaster o Brydain mewn ffotograff a dynnwyd yn ystod cyrch ar ddinas Hamburg, yng ngogledd yr Almaen.

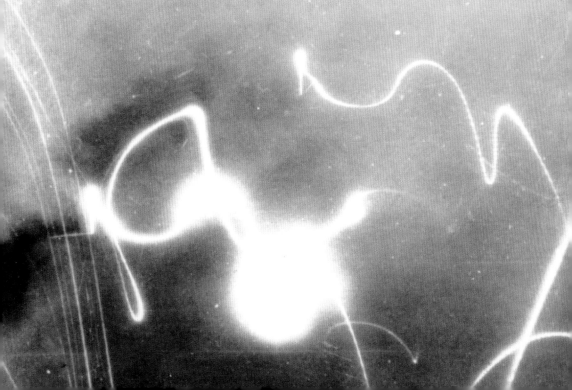

Darlun gan Norman
Wilkinson o HMS
Campbeltown yn
St. Nazaire, yn ystod
cyrch gan gomandos
Prydain ar Ffrainc o
dan y Natsïaid ym mis
Mawrth 1942.

Y byd yn rhyfela

Yr Ail Ryfel Byd oedd y gwrthdaro mwyaf erioed. Hyd yn oed o'i gymharu â lladdfa'r Rhyfel Byd Cyntaf, dyma ddigwyddiad mwyaf trychinebus yr 20fed ganrif. Cafodd o leiaf 50 miliwn o bobl eu lladd, a chafodd miliynau o fywydau eu chwalu. Hyd yn oed heddiw, mae'r Rhyfel a'i ganlyniad yn dal i effeithio ar bob math o densiwn, argyfwng a thrychineb ym maes gwleidyddiaeth ryngwladol.

Map o'r Rhyfel

Cafodd yr Ail Ryfel Byd ei ymladd rhwng dau gynghrair oedd yn wynebu ei gilydd, sef y Cynghreiriaid a Phwerau'r Axis. Cafodd bron pob rhan o'r byd ei dynnu i mewn i'r gwrthdaro.

Roedd tair gwlad yr Axis, sef yr Almaen, Japan a'r Eidal,
yn anterth eu nerth yn haf 1942. Mae'r diriogaeth
roedden nhw'n ei rheoli yn cael ei dangos yn goch yma.

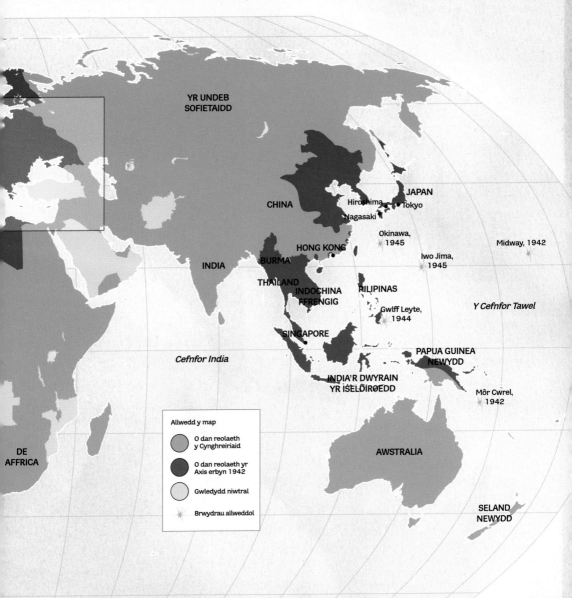

YR UNDEB
SOFIETAIDD

JAPAN

CHINA   Hiroshima   Tokyo
             Nagasaki

                          Okinawa,   Midway, 1942
                          1945

HONG KONG   Iwo Jima,
                          1945
INDIA   BURMA

THAILAND
         INDOCHINA   PILIPINAS
         FFRENGIG
                     Gwlff Leyte,   Y Cefnfor Tawel
                     1944
SINGAPORE

                                    PAPUA GUINEA
Cefnfor India   NEWYDD

             INDIA'R DWYRAIN
             YR ISELDIROEDD
                                         Môr Cwrel,
                                         1942

Allwedd y map

○ O dan reolaeth
  y Cynghreiriaid

● O dan reolaeth yr
  Axis erbyn 1942   AWSTRALIA

○ Gwledydd niwtral

✳ Brwydrau allweddol   SELAND
                                        NEWYDD
DE
AFFRICA

Myfyrwyr Prifysgol Berlin yn llosgi llyfrau
oedd wedi'u 'gwahardd', yn fuan ar ôl i'r
Natsïaid ddod i rym yn 1933.

Pennod 1

Codi coelcerth

Am 11 o'r gloch y bore ar 11 Tachwedd, 1918, tawelodd y gynnau mawr ar feysydd y gad yn Ewrop. Roedd y Rhyfel Byd Cyntaf ar ben. Dathlodd pobl mewn partïon stryd gwyllt ym mhrifddinasoedd y gwledydd a enillodd, ond roedd y rhai a gollodd, yn enwedig yr Almaen, yn methu'n deg â deall beth oedd wedi digwydd. Dros bedair blynedd, roedd miliynau wedi marw yn y gwrthdaro mwyaf chwerw a welodd y byd erioed. Ond, er bod y brwydro ar ben, roedd tensiwn yn dal yno. Byddai'r tensiwn hwn yn tanio'r gwreichion a arweiniodd at y rhyfel nesaf, fel bod rhai haneswyr yn gweld y ddau wrthdaro fel un.

Yr Almaen

Ffrainc   Alsace a Lorraine

Y byd a greodd y Rhyfel

O achos y Rhyfel Byd Cyntaf, neu'r 'Rhyfel Mawr', roedd Ewrop yn hesb. Am y rhan fwyaf o'r Rhyfel, roedd y ddwy ochr wedi bod benben â'i gilydd. Roedden nhw wedi gwneud eu gorau glas i drechu ei gilydd gyda grym eu milwyr a'u diwydiant. Erbyn i'r ymladd orffen, roedd cyflwr economïau hyd yn oed y cryfaf o'r buddugwyr yn wael iawn.

Dod i delerau

Ym mis Ionawr 1919, daeth cynrychiolwyr 32 gwlad at ei gilydd ym Mharis a Versailles. Y gobaith oedd trafod cytundeb heddwch a fyddai'n profi mai'r Rhyfel Mawr fyddai'r 'rhyfel i orffen pob rhyfel', ond roedd sawl un yn anghytuno am y telerau.

Versailles

Penaethiaid Prydain, Ffrainc ac UDA, y tair gwlad fwyaf pwerus ar yr ochr a enillodd, oedd yn arwain y trafod yn Versailles. Doedd dim gwahoddiad i'r gwledydd a gollodd, sef yr Almaen, Awstria-Hwngari ac Ymerodraeth Twrci.

Roedd Woodrow Wilson, Arlywydd UDA, eisiau i'r hen elynion gymodi. Roedd bron i hanner dynion Ffrainc rhwng 20 a 35 wedi cael eu lladd neu'u hanafu, felly gwthiodd Ffrainc am gytundeb a fyddai'n 'Gwneud i'r Almaen Dalu'. Roedd llawer o bobl Prydain yn teimlo'r un fath, felly penderfynodd David Lloyd George, y Prif Weinidog, gefnogi Ffrainc.

12

Swyddogion Prydain, Ffrainc ac America, rhai yn dangos mwy o ddiddordeb na'r lleill wrth i'r cytundeb gael ei lofnodi yn Versailles, Ffrainc.

Heddwch diffygiol

Ym mis Mehefin, galwyd gwleidyddion yr Almaen i Versailles i lofnodi'r cytundeb heddwch. Roedd llawer o Almaenwyr yn teimlo eu bod bron ag ennill y Rhyfel a bod eu harweinwyr wedi troi eu cefn arnyn nhw. Roedden nhw'n chwerw am delerau llym y cytundeb. Aeth llawer i brotestio yn y strydoedd, ond roedd rhaid derbyn y cytundeb. Ar 28 Mehefin, 1919, llofnododd yr Almaenwyr Gytundeb Versailles.

Yn swyddogol roedd y Rhyfel ar ben. Ond roedd Lloyd George yn anesmwyth, ac meddai: "Bydd rhaid inni wneud yr un peth eto mewn 25 mlynedd." Roedd yn eithaf agos ati.

Chwyldro Rwsia

Yn 1917, roedd plaid wleidyddol o'r enw'r Bolsieficiaid wedi disodli llywodraeth Rwsia. Vladimir Ilyich Ulyanov, neu Lenin, oedd yr arweinydd. Gwnaethon nhw heddwch â'r Almaen a llofruddio eu teulu brenhinol eu hunain.

Daethon nhw i rym ar ôl tair blynedd o ryfel cartref gwaedlyd, a'i throi'n wladwriaeth gomiwnyddol.

Math newydd o ormes

Yn ystod y 1920au a dechrau'r 1930au, cododd pedair cyfundrefn ormesol. Byddai pob un yn chwarae rhan bwysig yn yr Ail Ryfel Byd.

Hitler a Mussolini

Yn y 1920au, dioddefodd yr Almaen wrth dalu iawndal y Rhyfel ac wrth i'r economi chwalu. Daeth Adolf Hitler a'i Blaid Natsïaidd i rym yn 1933, gan roi'r bai ar Iddewon a chomiwnyddion am drafferthion economaidd yr Almaen. Credai Hitler y byddai cael gwared arnyn nhw, a chynyddu grym milwrol yr Almaen, yn codi'r wlad eto. Credai y dylai'r tiroedd i'r dwyrain o'r Almaen ddod yn *Lebensraum* – lle i fyw – i Almaenwyr.

Daeth cyfundrefn debyg i rym yn yr Eidal o 1922 dan arweiniad Benito Mussolini a'i Blaid Ffasgaidd. Daethon nhw i rym ar adeg pan oedd pobl yn ofni chwyldro comiwnyddol.

Der Führer ac il Duce

Roedd Hitler (neu der Führer, 'yr arweinydd' yn Almaeneg), yn gymeriad caled oedd yn strancio weithiau. Ond roedd yn siaradwr cyhoeddus gwych, ac roedd bod yn eithafol yn rhywbeth da iddo.

"Wnawn ni ddim ildio - na, byth! Efallai y cawn ein dinistrio, ond os cawn ni, fe lusgwn ni'r byd gyda ni - byd ar dân"

Roedd Mussolini (neu *il Duce*, 'yr arweinydd' yn Eidaleg) yn siaradwr cyhoeddus gwych hefyd. Ysbrydolodd ei ddilynwyr drwy sôn am adeiladu 'ymerodraeth Rufeinig newydd' i'r Eidal.

"Gwell bod yn llew am ddiwrnod nag yn ddafad am gan mlynedd."

Roedd Mussolini (ar y chwith) yn cystadlu â Hitler a hefyd yn ysbrydoliaeth iddo. Daeth y ddau yn ffrindiau ac yn gynghreiriaid. Yma, maen nhw'n rhannu te a chacennau yn 1937.

Stalin: dyn o ddur

Newidiodd Josef Jughashvili ei gyfenw i Stalin, sy'n golygu 'dyn o ddur', pan ddaeth y chwyldro comiwnyddol. Roedd mor greulon â Hitler yn y pen draw.

Llwyddodd Stalin i droi'r Undeb Sofietaidd o fod yn gymdeithas werinol i fod yn wlad ddiwydiannol fodern. Felly pan ddechreuodd yr Ail Ryfel Byd, roedd y Sofietiaid yn gallu adeiladu llawer iawn o danciau a drylliau i'w hamddiffyn eu hunain rhag yr Almaenwyr. Ond yn sgil cynllunio gwael, bu newyn a gostiodd filiynau o fywydau.

Anfonodd Stalin filiynau i'w marwolaeth, ac i wersylloedd crynhoi creulon, er mwyn 'carthu' a chael gwared ar ei elynion.

"Mae marwolaeth yn datrys pob problem. Dim dyn. Dim problem."
Ateb Stalin i anawsterau gwleidyddol.

Cadfridogion creulon Japan

Roedd Japan ar yr ochr a enillodd y Rhyfel Byd Cyntaf, ond heb elwa ar hynny. Ynys o ymerodraeth oedd Japan heb lawer o adnoddau naturiol, felly trodd ei golygon at China, a threfedigaethau ymerodraethau Prydain, Ffrainc a'r Iseldiroedd. Yn y 1930au, daeth arweinwyr milwrol i reoli llywodraeth Japan. Penderfynon nhw mai rhyfel oedd y ffordd i ddod yn rym yn y byd. Doedd dim un person yn rheoli, fel yn yr Almaen, yr Eidal neu'r Undeb Sofietaidd, ond roedd y gyfundrefn a'r fyddin yr un mor greulon.

"Os oes unrhyw un yn gwrthwynebu'r Ffordd Ymerodrol [hynny yw, ehangiad Japan] byddwn ni'n rhoi pigiad iddyn nhw â bwled a bidog."
Y Cadfridog Sadao Araki yn bygwth gwleidyddion cymedrol Japan.

Y Cytundeb Natsïaidd-Sofietaidd

Ar 23 Awst 1939, wythnos cyn i'r Ail Ryfel Byd ddechrau, cafwyd sioc pan gytunodd yr Almaen a'r Undeb Sofietaidd i addo peidio ag ymosod ar ei gilydd.

Cyfeillgarwch cyfleus oedd hwn gan fod y ddwy ochr yn hollol wahanol i'w gilydd. Yn dawel bach, roedd Hitler am goncro'r Undeb Sofietaidd, ond roedd angen mwy o amser arno i gynyddu ei luoedd arfog.

Mae'r cartŵn hwn yn dweud mai esgus o briodas oedd y Cytundeb rhwng Hitler a Stalin.

Rhwng y Ddau Ryfel

Roedd hi'n siom i Brydain a Ffrainc na wnaethon nhw elwa o ennill y Rhyfel Byd Cyntaf. Roedden nhw'n llawer gwannach, oherwydd i'r ymladd lyncu cyfoeth ac adnoddau.

Roedd UDA wedi dod yn wlad fwyaf pwerus y byd. Ond roedd ymneilltuedd – yr awydd i gadw draw rhag digwyddiadau yn Ewrop – yn ddylanwad cryf yno.

Argyfwng byd-eang

Yn 1929, dechreuodd chwalfa ariannol ofnadwy yn UDA, sef y Dirwasgiad Mawr.

Ymledodd yr argyfwng dros y byd, wrth i ffatrïoedd UDA roi'r gorau i fewnforio defnyddiau crai ac i bobl UDA roi'r gorau i brynu nwyddau tramor. Collodd miliynau o bobl o gwmpas y byd eu gwaith.

Americanwyr di-waith yn hysbysebu eu sgiliau yn Chicago, 1934.

Ymerodraethau bregus

Daeth rhai o diriogaethau tramor Prydain a Ffrainc o dan fygythiad – oherwydd bod pobl yn y gwledydd hynny yn mynnu bod yn annibynnol, ac oherwydd bod llywodraeth Japan eisiau cipio'r tiriogaethau.

Ym Mhrydain, credai llawer o bobl bod yr Almaen wedi cael ei thrin yn wael yn Versailles, ac y dylid 'dyhuddo' Hitler – rhoi beth bynnag roedd eisiau iddo, o fewn rheswm. Felly pan anfonodd yr Almaen filwyr i ardal y Rhein, hawliodd rhai mai 'dim ond martsio i'w iard gefn ei hun' roedd e. Roedd Ffrainc eisiau atal Hitler, ond heb gefnogaeth Prydain, roedd rhaid iddyn nhw ildio.

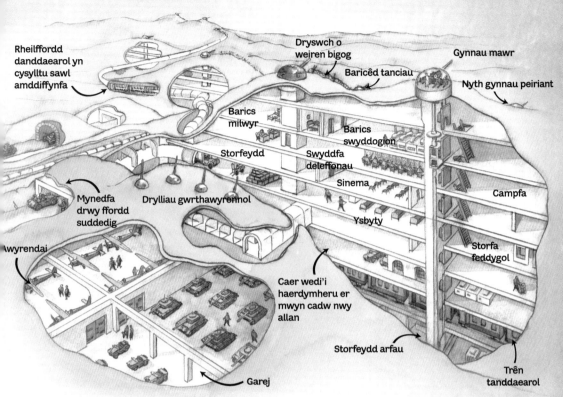

Rheilffordd danddaearol yn cysylltu sawl amddiffynfa

Dryswch o weiren bigog

Baricêd tanciau

Gynnau mawr

Nyth gynnau peiriant

Barics milwyr

Barics swyddogion

Storfeydd

Swyddfa deleffonau

Sinema

Campfa

Mynedfa drwy ffordd suddedig

Drylliau gwrthawyrennol

Ysbyty

Storfa feddygol

wyrendai

Caer wedi'i haerdymheru er mwyn cadw nwy allan

Storfeydd arfau

Garej

Trên tanddaearol

Dyma drychiad o du fewn cyfyng y Llinell Maginot. Roedd yr amddiffynfeydd yn ddrud a bydden nhw'n fethiant llwyr.

Osgoi rhyfel arall

Ar ôl y Rhyfel Byd Cyntaf, gwnaeth llywodraeth Ffrainc gynlluniau i amddiffyn y wlad rhag ymosodiad arall. Ar hyd ffin y wlad adeiladon nhw linell fawr o faricedau tanciau, lleoedd gynnau peiriant ac amddiffynfeydd concrid, o'r enw Llinell Maginot.

Er gwaethaf y rhain, ychydig o bobl a gredai y byddai gwrthdaro arall yn dod mor fuan ar ôl y llall. Roedd rhai pobl yn Ffrainc a Phrydain, gan gynnwys y dyn a fyddai'n dod yn Frenin Edward VIII, yn edmygu Hitler. Roedd rhai papurau newydd ym Mhrydain, fel y *Daily Mail*, yn canmol arweinwyr newydd yr Almaen am greu 'gwrthglawdd yn erbyn comiwnyddiaeth' ac am lwyddo i ymladd yn erbyn diweithdra.

"Rydyn ni'n ymerodraeth gyfoethog ond bregus, ac mae cymdogion tlawd sy'n edrych arnom â llygaid newynog."
Neville Chamberlain, Prif Weinidog Prydain, 1938

Yn yr Almaen o dan Hitler

Wrth esbonio ei gynlluniau ar gyfer yr Almaen yn ei faniffesto gwleidyddol *Mein Kampf* – sef Fy Mrwydr – ysgrifennodd Hitler, "Byddwn yn rheoleiddio pob gweithgaredd a phob angen pob unigolyn . . . Mae cyfnod hapusrwydd personol wedi dod i ben." Cadwodd ei air.

Trefnodd y Natsïaid ralïau enfawr dros yr Almaen i gyd. Roedd Hitler mor effeithiol yn dal cynulleidfa fel bod Joseph Goebbels, ei weinidog propaganda, yn dweud, yn y ralïau hyn, fod, "Y mwydyn bach yn troi'n ddraig enfawr."

Roedd y ralïau mwyaf yn cael eu cynnal bob blwyddyn ym Munich, pencadlys y Blaid Natsïaidd. Daeth dros hanner miliwn o bobl i rai ohonyn nhw.

Roedd rhaid i ferched bach ymuno â Chynghrair y Merched i ddysgu cymorth cyntaf a sut i fod yn wragedd a mamau Natsïaidd da. Hefyd roedden nhw'n codi arian i achosion Natsïaidd.

Roedd rhaid i fechgyn ymuno â chorff o'r enw Ieuenctid Hitler, lle roedden nhw'n cael hyfforddiant milwrol a chael eu trwytho mewn gwleidyddiaeth Natsïaidd.

Rheolodd y Natsïaid bob dull o gael gwybodaeth, o'r sinema a'r radio, i bapurau newydd ac addysgu mewn ysgolion. Roedden nhw'n ailadrodd drwy'r amser mai'r Iddewon oedd yn gyfrifol am holl broblemau'r Almaen.

Roedd y llyfr hwn, *Y Fadarchen Wenwynig*, yn rhybuddio plant yr Almaen i beidio ag ymddiried yn yr Iddewon yn eu dosbarth.

Mae'r poster hwn yn hysbysebu ffilm 'ddogfennol' o'r enw *Yr Iddew Tragwyddol* – darn cas o bropaganda gwrth-Iddewig a ddangoswyd gyntaf yn 1940.

Gosodwyd papurau newydd yn llawn sloganau gwrth-Iddewig mewn mannau cyhoeddus.

Cafodd Iddewon yr Almaen eu herlid neu eu carcharu, ac roedd rhaid iddyn nhw wneud tasgau gwasaidd, fel sgrwbio'r strydoedd.

Ffodd 250,000 o Iddewon yr Almaen, sef tua hanner y rhai yn y wlad, i wledydd tramor cyn i'r Rhyfel ddechrau.

Is-gapteiniaid Hitler

"Wrth gwrs, dydy'r bobl gyffredin ddim eisiau rhyfel ... Ond mae wastad yn hawdd cael pobl i ddilyn eu harweinwyr. Y cyfan sydd rhaid dweud yw bod rhywun yn ymosod arnyn nhw."

Hermann Göring,
Cadlywydd y Reich

"Mae'r Iddewon wedi dod â chymaint o drallod i'n cyfandir ni fel bod y gosb lymaf yn dal i fod yn rhy garedig ..."

Joseph Goebbels,
Gweinidog Propaganda,
Dyddiadur, 27 Ebrill 1942

Ar nos 9-10 Tachwedd, 1938, bu sawl ymosodiad treisgar ar Iddewon drwy'r Almaen ac Awstria. Yr enw arni oedd *Kristallnacht*, neu 'Nos y Gwydr Drylliedig'. Cafodd cartrefi, siopau a synagogau Iddewig eu hysbeilio neu eu rhoi ar dân.

Milwyr Japan yn dathlu buddugoliaeth ar waliau dinas Nanking.

"Gadewch inni gael dagr rhwng ein dannedd, bom yn ein dwylo a dicter diddiwedd yn ein calonnau."
Benito Mussolini, 1928

Cytundeb yr Axis

Pan aeth milwyr Mussolini i mewn i Abyssinia, protestiodd gwledydd eraill, gan arwain yr Eidal i symud yn agosach at yr Almaen. Yn 1936, llofnododd y ddwy wlad gytundeb cyfeillgarwch, a gafodd yr enw 'Axis Rhufain-Berlin' neu 'Cytundeb yr Axis'. Ymunodd Japan yn 1940, a'r enw ar y tair gwlad oedd 'Pwerau'r Axis'.

Mussolini yn gwneud araith i'w gadfridogion.

Y camau at ryfel

Gobaith y rhai oedd wedi byw drwy'r Rhyfel Byd Cyntaf oedd bod modd osgoi rhyfel arall. Ond diflannodd y gobaith hwnnw'n fuan.

Roedd anrhefn yn China yn y 1930au, wrth i arglwyddi rhyfel ymladd â'i gilydd i reoli'r wlad. Yn 1931, ymosododd Japan a meddiannu rhanbarth Manchuria yn China. Chymerodd Japan ddim sylw o brotestiadau Cynghrair y Cenhedloedd, ac erbyn 1937 roedd yn rhyfela â gweddill China hefyd. Roedd ymgyrch Japan yn ofnadwy o greulon. Pan oresgynnodd milwyr Japan ddinas Nanking, lladdon nhw hyd at 200,000 o sifiliaid.

Anturiaethau'r Eidal

Yn 1935-1936, goresgynnodd byddin yr Eidal Abyssinia (Ethiopia nawr), un o wledydd annibynnol olaf Affrica. Anwybyddon nhw brotestiadau Cynghrair y Cenhedlodd hefyd. Cymerodd hi wyth mis i fyddin Mussolini goncro milwyr troednoeth, tlawd eu hoffer, Ymerawdwr Haile Selassie. Dylai hyn fod wedi bod yn rhybudd i Mussolini nad oedd ei fyddin yn barod i wireddu ei freuddwydion am goncro'r gwledydd eraill.

Yr Almaen yn cryfhau

Wrth i Hitler ddod yn fwy hyderus, dechreuodd dorri telerau Cytundeb Versailles oedd wedi codi cymaint o gywilydd ar ei wlad 20 mlynedd cyn hynny. Y peth mwyaf brawychus oedd bod yr Almaen wedi codi ffatrïoedd arfau, gan roi gwaith i filiynau o ddynion oedd yn ddi-waith oherwydd y Dirwasgiad.

Yn 1936, gorymdeithiodd milwyr yr Almaen i ardal afon Rhein a goresgyn Awstria yn 1938. Roedd y Cytundeb wedi gwahardd y ddau beth. Yn nes ymlaen yr un flwyddyn, dechreuodd Hitler fynnu bod Sudetenland, rhan o Tsiecoslofacia lle roedd pobl yn siarad Almaeneg, (gweler y map ar dud. 25) yn dod yn rhan o'r Almaen.

Roedd Prydain a Ffrainc yn erbyn hyn a dechreuon nhw baratoi at ryfel. Ond, ym mis Medi'r un flwyddyn, cafodd Hitler gyfarfod â phrif weinidogion Prydain a Ffrainc, Neville Chamberlain ac Edouard Daladier, yn Munich, a chytuno ar gyfaddawd (ar y dde).

Yn anffodus, doedd y cyfaddawd ddim yn werth taten.

Dyhuddo Hitler

Yn Munich ym mis Medi 1938, cytunodd Prydain a Ffrainc i roi Sudetenland i'r Almaen – ond iddyn nhw beidio â mynnu mwy o dir. Daeth Chamberlain adref â dogfen wedi'i llofnodi gan Hitler, gan gyhoeddi 'heddwch yn ein cyfnod ni'.

Credai cefnogwyr dyhuddo fod hawl gan yr Almaenwyr i'r tir beth bynnag. Credai'r gwrthwynebwyr fod hyn yn ildio i fwlian.

Chwe mis yn ddiweddarach, meddiannodd Hitler weddill Tsiecoslofacia. Roedd y polisi dyhuddo wedi methu.

Milwyr Ffrainc yn gorymdeithio drwy gatiau Castell Hradschin, Prâg, wrth feddiannu prifddinas Tsiecoslofacia ar 15 Mawrth 1939.

Tanciau'r Almaen yn goresgyn
Gwlad Pwyl, 1 Medi 1939.

Dechrau'r Rhyfel

Dechreuodd yr Ail Ryfel Byd yn llawn twyll a dinistr creulon. I ddechrau, roedd y gwrthdaro wedi'i gyfyngu i wledydd Ewrop. Ond ymhen ychydig dros ddwy flynedd, roedd y rhan fwyaf o'r byd wedi cael ei lusgo i mewn i'r brwydro mawr rhwng dau gynghrair cryf. Yn y rhyfel hwn byddai sifiliaid yn dioddef yn llawer gwaeth na'r rhai oedd yn brwydro, oherwydd eu bod wedi'u dal rhwng gwrthwynebwyr gwleidyddol didostur.

Anelydd bomiau mewn awyren Heinkel 111 yr Almaen yn edrych i lawr ar dref yng Ngwlad Pwyl yn ystod y goresgyniad ym mis Medi 1939.

Dunkirk

Wrth i Hitler ysgubo drwy Ewrop (gweler y map ar y dde), cafodd lluoedd Prydain a Ffrainc eu dal yn Dunkirk, porthladd yn Ffrainc. Roedd lluoedd yr Almaen yn barod i'w dinistrio, ond gorchmynnodd Hitler iddyn nhw aros.

Yn yr egwyl yma, croesodd cannoedd o longau a chychod y Sianel ym misoedd Mai a Mehefin 1940. Achubwyd dros 300,000 o filwyr Prydain a Ffrainc.

Pam arhosodd Hitler? Efallai ei fod eisiau cael heddwch â Phrydain a ddim eisiau eu cywilyddio; neu ei fod yn dibynnu ar ei lu awyr i orffen y gwaith wedyn.

Ewrop yn gaeth

Dechreuodd y Rhyfel ar 1 Medi 1939. Roedd hi'n ddiwrnod hyfryd ar ddiwedd yr haf ac roedd y tir yn sych a chaled – perffaith i danciau'r Almaen a roliodd dros ffin Gwlad Pwyl. Er bod byddin Gwlad Pwyl yn fwy na llu'r Almaen oedd yn ymosod, roedd y milwyr heb hyfforddiant ac offer cystal. Cyn pen wythnos roedd yr Almaenwyr yn agos at Warsaw, prifddinas Gwlad Pwyl.

Bomiwyd dinasoedd, trefi a phentrefi. Llenwodd sifiliaid y ffyrdd wrth geisio dianc ac atal milwyr Gwlad Pwyl rhag cyrraedd y ffrynt. Mewn rhan gyfrinachol o'r Cytundeb Natsïaidd-Sofietaidd, roedd y Sofietiaid a'r Almaenwyr am rannu Gwlad Pwyl rhyngddyn nhw. Goresgynnodd y Sofietiaid Wlad Pwyl ar 17 Medi, ildiodd Warsaw ar 27 Medi ac roedd yr ymladd ar ben erbyn 5 Hydref. Roedd y wlad wedi syrthio ymhen ychydig dros fis.

Troi i'r Gorllewin

Ar ôl Gwlad Pwyl, bu egwyl yn yr ymladd. Am sawl mis, daliodd Ffrainc a Phrydain 'nôl ar ôl cyhoeddi rhyfel ar 3 Medi 1939. Ar ôl gweld pa mor hawdd roedd ei fyddin wedi gorchfygu Gwlad Pwyl, gobeithiai Hitler y byddai ei elynion am wneud heddwch. Ond wnaeth hyn ddim digwydd.

Ym mis Ebrill 1940, ymosododd lluoedd yr Almaen ar Norwy a Denmarc. Cwympodd Denmarc cyn pen oriau. Daliodd Norwy ati tan 9 Mehefin. Ym mis Mai, trodd Hitler ei sylw i Orllewin Ewrop. Ymosododd ei luoedd ar yr Iseldiroedd a Gwlad Belg, yna gwthio i mewn i Ffrainc, gan fynd heibio i Linell Maginot.

O dan arweiniad y Cadfridog Heinz Guderian, cadlywydd tanciau gorau'r Almaen, cyrhaeddodd y milwyr y Sianel cyn pen ychydig dros wythnos. Chwalodd byddinoedd y Cynghreiriaid ac ildiodd Ffrainc. Roedd yr ymgyrch wedi para llai na chwe wythnos.

Hitler yn dial

Ar ddiwedd y Rhyfel Byd Cyntaf, roedd yr Almaen wedi ildio i Ffrainc mewn cerbyd trên yng Nghoedwig Compiègne, felly mynnodd Hitler bod yr un cerbyd yn cael ei ddefnyddio er mwyn i Ffrainc ildio ym mis Mehefin 1940.

Arddangoswyd y cerbyd yn Berlin, a'i ddinistrio yn 1945 – pan oedd y ddinas ar fin syrthio i ddwylo'r Cynghreiriaid ar ddiwedd y Rhyfel.

Map o Ewrop yn ystod haf 1940

Allwedd:

- Y Cynghreiriaid
- Pwerau'r Axis
- O dan reolaeth yr Axis
- Gwledydd niwtral
- Llinell Maginot

1. Awstria – daeth yn rhan o'r Almaen yn 1938.

2. Tsiecoslofacia – rhannwyd yn 1939. Aeth y rhan fwyaf o'r Dwyrain yn Slofacia; aeth y Gorllewin yn rhan o'r Almaen.

NORWY
ESTONIA
SWEDEN
LATVIA
YR UNDEB SOFIETAIDD
Môr y Gogledd
DENMARC
LITHUANIA
IWERDDON
YR ISELDIROEDD
PRYDAIN FAWR
GWLAD PWYL
DWYRAIN PRWSIA
YR ALMAEN
Y Sianel
2.
GWLAD BELG
SLOFACIA
Cefnfor Iwerydd
FFRAINC
1.
HWNGARI
ROMANIA
Y SWISTIR
YR EIDAL
IWGOSLAFIA
BWLGARIA
PORTIWGAL
ALBANIA
SBAEN
GROEG
Y Môr Canoldir

Blitzkrieg

Blitzkrieg, neu 'ryfel mellt' oedd y dacteg a helpodd yr Almaenwyr i goncro'r rhan fwyaf o Ewrop. Cafodd ei dyfeisio er mwyn osgoi sefyllfa fel yr un yn y Rhyfel Byd Cyntaf a oedd wedi costio cymaint o fywydau, sef rhyfel yn y ffosydd lle nad oedd neb yn ennill.

Yn yr ugain mlynedd rhwng y ddau ryfel, roedd technoleg wedi symud ymlaen. Roedd yr arfau ymosod newydd yn arswydus, fel bod Blitzkrieg yn dacteg frawychus o effeithiol. Dyma sut roedd yn gweithio:

1. Roedd sgwadronau o awyrennau bomio trwm yn hedfan yn ddwfn y tu ôl i linellau'r gelyn, gan ddinistrio canolfannau awyr, storfeydd tanwydd ac arfau, gorsafoedd trenau a phencadlysoedd milwrol.

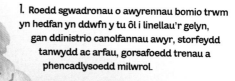

2. Wedyn, roedd awyrennau plymio i lawr ac yn bomio'r milwyr ar y llinell flaen, neu'n eu saethu â drylliau peiriant. Felly roedd y sifiliaid oedd yn ffoi rhag yr ymladd yn dychryn ac yn drysu.

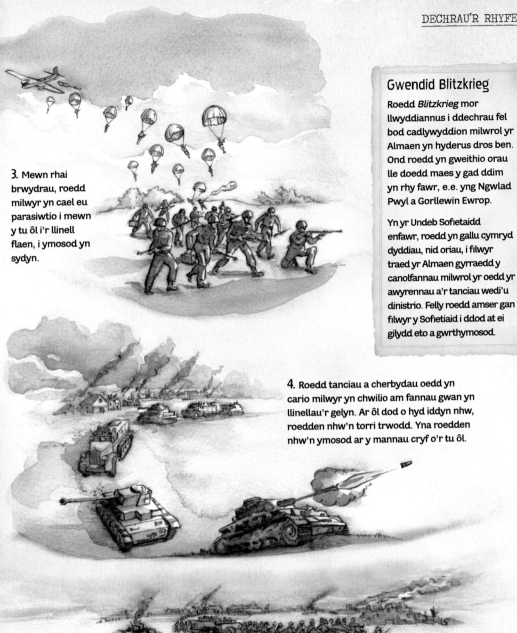

3. Mewn rhai brwydrau, roedd milwyr yn cael eu parasiwtio i mewn y tu ôl i'r llinell flaen, i ymosod yn sydyn.

Gwendid Blitzkrieg

Roedd *Blitzkrieg* mor llwyddiannus i ddechrau fel bod cadlywyddion milwrol yr Almaen yn hyderus dros ben. Ond roedd yn gweithio orau lle doedd maes y gad ddim yn rhy fawr, e.e. yng Ngwlad Pwyl a Gorllewin Ewrop.

Yn yr Undeb Sofietaidd enfawr, roedd yn gallu cymryd dyddiau, nid oriau, i filwyr traed yr Almaen gyrraedd y canolfannau milwrol yr oedd yr awyrennau a'r tanciau wedi'u dinistrio. Felly roedd amser gan filwyr y Sofietiaid i ddod at ei gilydd eto a gwrthymosod.

4. Roedd tanciau a cherbydau oedd yn cario milwyr yn chwilio am fannau gwan yn llinellau'r gelyn. Ar ôl dod o hyd iddyn nhw, roedden nhw'n torri trwodd. Yna roedden nhw'n ymosod ar y mannau cryf o'r tu ôl.

5. Cyn i filwyr y gelyn allu dod at ei gilydd eto, roedd llawer iawn o filwyr traed yn dilyn yr ymosodiadau cyntaf, i ladd neu gipio'r milwyr oedd ar ôl.

Concwerwyr creulon

'Gweithredu Arbennig'

Roedd *Einsatzgruppen* – Sgwadiau Gweithredu Arbennig – yn dilyn milwyr yr Almaen yng Ngwlad Pwyl. Eu tasg erchyll oedd lladd unrhyw un allai fod yn Iddew neu'n gomiwnydd.

Ar ddechrau'r Rhyfel, llofruddiwyd miliwn a hanner o bobl, Iddewon yn bennaf, fel hyn. Weithiau lladdwyd degau o filoedd ar y tro, mewn cyflafan oedd yn para sawl diwrnod.

Roedd y Natsïaid yn farbaraidd o greulon wrth y gwledydd a goncron nhw. Yng Ngwlad Pwyl, y gyntaf i gael ei choncro, bu farw un o bob pum dinesydd – y ganran uchaf o boblogaeth unrhyw wlad yn y rhyfel.

Roedd Hitler wedi dechrau'r ymgyrch drwy ddweud wrth ei gadfridogion: "Caewch eich calon i dosturi. Rhaid dileu unrhyw un sy'n rheoli pethau yng Ngwlad Pwyl." Credai Hitler mai *Untermenschen* – pobl is na bodau dynol – oedd Pwyliaid. Cafodd athrawon, swyddogion milwrol, eglwyswyr ac arweinwyr gwleidyddol eu lladd yn eu miloedd.

Pan ymosododd yr Almaenwyr ar yr Undeb Sofietaidd ym mis Mehefin 1941 (gweler t. 32-33), roedden nhw'r un mor greulon wrth drin y dinasyddion Sofietaidd. Yr amcangyfrif yw bod rhwng 12 a 14 miliwn o sifiliaid yr Undeb Sofietaidd wedi marw o dan yr Almaenwyr.

Rheolau gwahanol

Cafodd dinasyddion Ffrainc a gwledydd Sgandinafia eu trin yn well. Yn ôl athroniaeth hiliol wyrdroëdig y Natsïaid, roedd y rhain yn haeddu mwy o barch. Roedd Hitler yn edmygu mawredd Paris ac yn gweld pobl Denmarc a Norwy yn 'gymrodyr hiliol'. Llwyddodd y Natsïaid i recriwtio rhai i ymladd gyda'u milwyr nhw.

Ond, o ble bynnag roedden nhw'n dod, roedd llawer o ddynion neu fenywod a geisiai wrthryfela yn erbyn rheolaeth y Natsïaid bron yn siŵr o wynebu marwolaeth un ai drwy ymladd yn eu herbyn neu ar ôl cael eu dal.

Y Gwrthsafiad

Yn Nwyrain Ewrop, yn arbennig yn y tiroedd Sofietaidd o dan yr Almaenwyr, daliodd llawer o filwyr ati i ymladd. Byddai'r milwyr hyn, o'r enw partisaniaid, yn cuddio mewn coedwigoedd, gan ymosod ar luoedd yr Almaen yn ddigon pell o'r llinell flaen.

Roedd pris ofnadwy i'w dalu. Tasen nhw'n eu dal, byddai'r Almaenwyr yn eu lladd. Hefyd roedden nhw'n dal sifiliaid yn wystlon.

Byddai'r bobl anlwcus hyn yn cael eu lladd tasai'r partisaniaid yn gweithredu. Weithiau byddai pentrefi cyfan yn cael eu dinistrio, gyda'r trigolion.

Hitler, gydag uwch swyddogion staff yr Almaen, yn gwylio'r milwyr a fyddai'n adeiladu ei ymerodraeth newydd.

Sgwadron o awyrennau bomio Heinkel 111 yn hedfan yn agos at ei gilydd. Roedden nhw'n awyrennau araf, trwsgl ac yn dargedau hawdd i beilotiaid ymladd y RAF.

Y Blitz

Rhwng Medi 1940 a Mai 1941, bomiwyd Llundain bron bob nos. Cafodd dinasoedd eraill, megis Coventry, Abertawe a Lerpwl ddifrod mawr.

Yn hytrach nag achosi panig a lladd ysbryd pobl Prydain, gwnaeth hyn iddyn nhw fod yn fwy penderfynol o ddal ati.

Brwydr Prydain

O arfordir Ffrainc, mae'n hawdd gweld clogwyni sialc Dover ar draws y Sianel. Yn haf 1940, dim ond y culfor hwn oedd rhwng Hitler a choncro Prydain. Tasai'r Almaenwyr yn gallu croesi'n ddiogel, fyddai gan filwyr blinedig Prydain ddim gobaith caneri yn erbyn milwyr caled yr Almaen.

15 Medi 1940 oedd y dyddiad cyrch goresgyn yr Almaenwyr. Roedden nhw'n disgwyl y byddai'r ymladd ar ben cyn i'r gaeaf ddod. Cafodd y goresgyniad enw cod: *Cyrch Morlew.*

Gan y byddai cychod araf yn llawn milwyr yn darged hawdd i fomiau a gynnau peiriant awyrennau ymladd Prydain, roedd yr Almaen am geisio rheoli'r awyr yn gyntaf. Byddai'n rhaid i'r Luftwaffe ddinistrio llynges bwerus Prydain i gael gobaith o oresgyn Prydain.

Ymosod o'r awyr

Roedd gan Hermann Goering, pennaeth
y Luftwaffe, llu awyr yr Almaen, gynllun syml
i ddinistrio'r RAF, Llu Awyr Prydain. Anfonodd ei
awyrennau i ymosod ar longau yn y Sianel, gan
obeithio denu awyrennau Prydain a'u saethu
i lawr. Ond methodd y cynllun: saethodd y RAF
ddwywaith yn gymaint o awyrennau'r Almaen.
Felly, dechreuodd y Luftwaffe ymosod ar
feysydd awyr a dinistrio awyrennau ar y
llawr. Nawr roedden nhw'n ennill.

Rhoddodd y RAF gynnig ar rywbeth arall
– bomio Berlin. Yn wyllt gacwn, penderfynodd
Hitler stopio'r cyrchoedd ar y meysydd awyr ac
ymosod ar Lundain a dinasoedd eraill yn lle hynny.

Yn ystod Brwydr Prydain, fel y daeth i gael ei galw,
trechwyd y Luftwaffe, fesul awyren. Collon nhw
dros 1,800 awyren. 90 awyren a gollodd y RAF,
oedd yn cynnwys peilotiaid o'r Gymanwlad a
gwledydd dwyrain Ewrop oedd wedi'u
concro, fel Gwlad Pwyl. Lladdwyd
tua 400 o 1,500 peilot y RAF. Ond
oherwydd dewrder a medr
y criw bach yma, roedd rhaid
i Hitler roi'r gorau i
Gyrch Morlew.

Mae Cadeirlan St Paul's i'w
gweld uwchben adeiladau
sy'n dal i losgi ar ôl cyrch nos
yn ystod Blitz Llundain.

Y RAF yn erbyn y Luftwaffe

Roedd sawl mantais gan y RAF
dros y *Luftwaffe.*

• Roedd rhaid i awyrennau'r
Almaen deithio'n bell a dim ond
am gyfnod byr y gallen nhw
aros dros Loegr, neu fyddai dim
tanwydd ar ôl.

• Roedd gan Brydain
rwydwaith radar, ac
felly'n gallu dweud o
ble a phryd roedd yr
Almaenwyr yn dod.

• Roedd llawer
o awyrennau Prydain yn
gallu hedfan yn gynt nag
awyrennau ymladd a
bomio'r Almaen.

• Os oedden nhw'n goroesi,
gallai peilotiaid y RAF a
saethwyd dros Loegr
hedfan eto yr un
diwrnod. Ond roedd
peilotiaid y Luftwaffe
oedd yn goroesi yn
cael eu dal fel arfer.

"The gratitude of
every home in our
Island goes out to
the British airmen
who, undaunted by
odds, unwearied
in their constant
challenge and
mortal danger, are
turning the tide of
the World War ...
Never in the field
of human conflict
was so much owed
by so many to so
few."

Winston Churchill, Prif
Weinidog Prydain, darllediad
radio, 20 Awst 1940

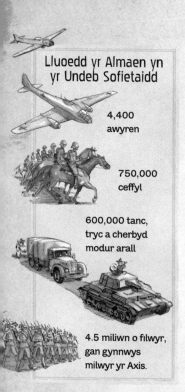

Lluoedd yr Almaen yn yr Undeb Sofietaidd

4,400 awyren

750,000 ceffyl

600,000 tanc, tryc a cherbyd modur arall

4.5 miliwn o filwyr, gan gynnwys milwyr yr Axis.

Milwyr yr Almaen yn brwydro yn erbyn tanc Sofietaidd yn gynnar yn ystod goresgyniad yr Almaen yn yr Undeb Sofietaidd.

Cyrch Barbarossa

Digwyddodd un o'r goresgyniadau mwyaf uchelgeisiol erioed ar fore niwlog ym mis Mehefin, 1941. Symudodd milwyr yr Almaen, a chynghreiriaid yr Axis, gyda miloedd o danciau ac awyrennau ar draws ffin enfawr yr Undeb Sofietaidd. Eu bwriad oedd dinistrio grym milwrol yr Undeb Sofietaidd a chipio'r rhan Ewropeaidd. Dyma'r 'Lebensraum' roedd Hitler yn credu bod hawl gan yr Almaen iddo. Enw cod y cynllun oedd *Barbarossa*, ar ôl ymerawdwr canoloesol yr Almaen.

Môr mawr, gwyrdd

Ymosododd lluoedd yr Axis ar y wlad, o'r gogledd, y de a'r canolbarth. I'r Almaenwyr oedd yn edrych dros gaeau gwair enfawr gwastatir yr Undeb Sofietaidd, roedd hi'n edrych fel tasen nhw'n croesi môr mawr, gwyrdd. Cyn pen ychydig fisoedd, roedd dinasoedd Odessa, Kiev, Smolensk a Kursk wedi cwympo.

Rwsia ar y dibyn

Erbyn dechrau mis Hydref, roedd Leningrad (St. Petersburg nawr) a Moscow, dwy ddinas fwyaf Rwsia, o dan warchae. Roedd y Sofietiaid wedi cael colledion erchyll.

Yn ystod wythnosau cyntaf yr ymladd, roedd 14,000 o awyrennau'r Sofietiaid wedi'u dinistrio. Erbyn diwedd y flwyddyn, roedd pedair miliwn a hanner o filwyr y Sofietiaid wedi'u lladd neu'u cipio, ac roedd 75 miliwn o'r dinasyddion yn byw o dan yr Almaenwyr.

Doedd yr Almaen ddim wedi cipio Leningrad a Moscow, ond roedd Hitler yn hyderus y byddai'n llwyddo. "Dim ond cicio'r drws i lawr sydd rhaid a bydd y strwythur pwdr yn syrthio," roedd wedi ymffrostio. Ond roedd un o gadlywyddion bataliwn yr Almaen yn nes ati, pan soniodd yn gyfrinachol wrth swyddog arall mai'r goresgyniad hwn fyddai "trychineb fwyaf hanes yr Almaen."

"Yn syth ro'n i'n teimlo fel tasai anghenfil yn dod yn nes, yn araf bach, yn bygwth, yn dychryn pawb i farwolaeth ..."

Elena Skriyabina, gwraig tŷ o Foscow, 22 Mehefin 1941, wrth glywed am y goresgyniad.

Dau gyfaill rhyfedd

Cyn i Hitler ymosod ar Rwsia, roedd Prydain ac UDA wedi bod yn amheus am yr ymerodraeth gomiwnyddol enfawr. Ond nawr roedden nhw ar yr un ochr.

Esboniodd Churchill, Prif Weinidog Prydain, ei gefnogaeth i Stalin drwy ddweud tasai Hitler yn goresgyn Uffern byddai e, Churchill, yn ffafrio'r Diafol.

Leningrad

Ym mis Medi 1941, roedd lluoedd yr Almaen yn amgylchynu Leningrad, dinas yn Rwsia. Am dair blynedd, dioddefodd y ddinas newyn a bomio. Roedd pobl mor llwglyd, roedden nhw'n ofni cael eu cipio a'u bwyta gan bobl eraill. Yn y gaeaf, roedd y tir yn rhewi mor galed, roedd hi'n amhosib claddu'r meirw. Ond methodd yr Almaen drechu Leningrad.

Daeth y gwarchae i ben o'r diwedd ym mis Ionawr 1944, pan gafodd yr Almaenwyr eu gyrru 'nôl i'r gorllewin. Bu farw bron i filiwn o bobl Leningrad.

Rhyfel yn y Gaeaf

Buan y llwyddodd byddin yr Almaen i oresgyn rhannau helaeth o orllewin yr Undeb Sofietaidd. Erbyn Rhagfyr 1941, roedden nhw wedi amgylchynu Leningrad, yr ail ddinas fwyaf, a hefyd yn agos iawn i'r brifddinas, Moscow.

Ond gan fod yr Undeb Sofietaidd mor enfawr, roedd hi'n mynd yn fwyfwy anodd i'r Almaenwyr gyflenwi bwyd a dillad gaeaf i'w milwyr a chynnal a chadw eu hoffer. Roedd eira, glaw ac oerfel y gaeaf cynnar yn gwneud i'r problemau hyn fynd yn waeth.

Yn y cyfamser, roedd nifer o filwyr gorau'r Sofietiaid wedi'u tynnu ynghyd i amddiffyn Moscow. Ymosodon nhw o dan arweiniad Marsial Zhukov a dioddefodd byddin yr Almaen ei cholled fwyaf gyntaf ers dechrau'r Rhyfel.

Milwyr yr Almaen yn wynebu oerfel mawr y gaeaf yn Rwsia.

Canlyniad creulondeb

Roedd y ffordd roedd yr Almaenwyr yn trin sifiliaid yn y gwledydd roedden nhw'n eu meddiannu yn dechrau gweithio yn eu herbyn.

Roedd pobl mewn rhannau o'r Undeb Sofietaidd, fel gwledydd y Baltig ac Wcráin, wedi croesawu milwyr yr Almaen i ddechrau am eu bod yn eu 'rhyddhau' o reolaeth Rwsia. Roedd tyrfaoedd o bobl wedi'u cyfarch drwy roi bara, halen a blodau iddyn nhw.

Ond pharhaodd y dathlu ddim yn hir. Buan y gwelodd y bobl fod yr Almaenwyr am eu lladd neu eu troi'n gaethweision. Tyfodd y gwrthsafiad. Wrth i storïau am ladd a chreulondeb gyrraedd gweddill yr Undeb Sofietaidd, dechreuodd pobl gefnogi'r llywodraeth oedd yn amhoblogaidd o'r blaen.

Galwodd y Sofietiaid y frwydr yn erbyn yr Almaenwyr yn 'Y Rhyfel Gwladgarol Mawr', a byddai pobl yr Undeb Sofietaidd yn ymladd yn ddewr a phenderfynol.

Mae'r bobl hyn yn Leningrad yn ddigartref ar ôl i awyrennau bomio'r Almaen ddinistrio eu bloc o fflatiau.

"Yn yr haf, ro'n ni'n torri porfa, yn ei ferwi a'i fwyta. Ro'n ni'n meddwl am fwyd drwy'r amser . . . . Aeth y dyddiau i gyd yn un diwrnod a noson hir. Dychmygwch 900 o ddyddiau fel hyn."

Dinesydd Leningrad yn edrych 'nôl ar y gwarchae.

Pearl Harbor

7:50 a.m., 7 Rhagfyr 1941: mae Pearl Harbor, canolfan Llynges UDA, yn dawel. Mae llongau rhyfel mawr yn cysgodi yn y porthladd ger Pearl City, Oahu, Hawaii. Mae sŵn isel injans awyrennau'n tarfu ar y dynion sy'n cysgu'r bore dydd Sul hwnnw. Yn sydyn daw sŵn ffrwydro a sgrechian, gynnau peiriant yn tanio ac arogl olew'n llosgi.

Lansiodd Japan yr ymosodiad sydyn hwn o chwe llong awyrennau, oedd 450km (280 milltir) i'r gogledd. Llithrodd llongau tanfor bach i'r porthladd hefyd, gan lansio torpidos ar y targedau amharod. Llwyddodd awyrennau Japan i achosi dinistr ofnadwy, bron heb wrthwynebiad. Digwyddodd naw deg y cant o'r difrod yn ystod 10 munud cyntaf yr ymosodiad.

"Yn sydyn sylweddolais nad ein hawyrennau ni oedd y rhain. Cyn pen dim, roedd hi'n uffern yno."

Prif Is-swyddog
Leonard J. Fox

Colledion Pearl Harbor

America

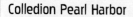 2,335 dyn

18 llong ryfel wedi'u suddo neu eu difrodi

180 awyren

21 awyren wedi'u difrodi

Japan

70 dyn

20 awyren

74 awyren wedi'u difrodi

Llynges UDA yn llosgi yn Pearl Harbor. Ar y dde mae'r llong ryfel *USS Arizona*, lle bu farw mil o ddynion.

Yr Unol Daleithiau yn dod i'r Rhyfel

Daeth tawelwch eto'n sydyn. Yna, hanner awr yn ddiweddarach, daeth ail ymosodiad. Y tro hwn roedd yr Americanwyr yn barod i wrthymosod â'u drylliau awyren. Roedd ail ymosodiad Japan yn llawer llai effeithiol.

Serch hynny, roedd Llynges y Cefnfor Tawel UDA wedi cael ergyd oedd bron yn farwol. Roedd dros 2,300 o Americanwyr wedi'u lladd, mil mewn un ffrwydrad enfawr ar y llong ryfel *USS Arizona*.

Doedd y rhan fwyaf o Americanwyr ddim eisiau bod yn rhan o'r Rhyfel – ond newidiodd ymosodiad Pearl Harbor hynny. I Brydain roedd newyddion gwell fyth: nawr cyhoeddodd Hitler ryfel ar UDA.

Anfonodd Franklin D. Roosevelt, Arlywydd UDA, neges at Winston Churchill, Prif Weinidog Prydain: "Heddiw rydym ni i gyd yn yr un cwch ... ac mae'n llong na chaiff ac na ellir ei suddo."

Y llyngesydd anffodus

Doedd y dyn a gynlluniodd yr ymosodiad, Y Llyngesydd Isoroku Yamamoto, ddim yn cytuno â phenderfyniad ei lywodraeth i fynd i ryfel.

Roedd Yamamoto wedi treulio amser yn UDA ac yn gwybod yn iawn pa mor bwerus a chyfoethog oedd gelyn newydd Japan. Wrth gael ei longyfarch ar lwyddiant ymosodiad Pearl Harbor, ei ateb oedd, "Foneddigion, ry'n ni newydd gicio ci cynddeiriog."

Lladdwyd Yamamoto yn 1943, pan gafodd ei awyren ei dal gan awyrennau UDA dros Ynysoedd Solomon.

Sgwad o filwyr Prydain yn ildio i filwyr Japan ac yn cael eu carcharu yn Singapore.

Ymerodraeth newydd y Cefnfor Tawel

Gan fod UDA wedi cael sioc ar ôl Pearl Harbor, aeth Japan ati'n syth i gipio'r diriogaeth roedden nhw eisiau ei chael yn Ne-ddwyrain Asia. Roedd Yamamoto wedi addo "chwe mis i flwyddyn wyllt" i reolwyr milwrol Japan cyn byddai lluoedd UDA yn ddigon cryf eto i atal Japan rhag concro rhagor.

Roedd Japan yn ymwybodol fod UDA yn llawer cryfach na nhw yn filwrol. Ond eu strategaeth oedd gwrthsefyll pob gwrthymosod mor ffyrnig fel byddai'n rhaid i UDA dderbyn sefyllfa newydd Japan fel rheolwyr Dwyrain y Cefnfor Tawel.

Gwnaeth y Japaneaid i'w carcharorion wneud llawer o waith caled, corfforol, fel adeiladu rheilffyrdd, ond ychydig iawn o fwyd roeson nhw iddyn nhw. Bu farw chwarter y carcharorion o Brydain.

Dim amser i'w golli

Wastraffodd Japan ddim amser. Tra oedden nhw'n rheoli'r awyr a'u môr, aeth eu milwyr caled, medrus ati i feddiannu'r Pilipinas, Malaya, Gwlad Thai a Burma. Roedd pobl India ac Awstralia yn ofni y byddai Japan yn ymosod arnyn nhw hefyd.

Ond roedd Japan mor llwyddiannus, dechreuon nhw fentro gormod – ac estyn eu hadnoddau i'r pen drwy gipio Guinea Newydd, rhai ynysoedd yng nghanol y Cefnfor Tawel, a hyd yn oed ynysoedd Aleutia oddi ar arfordir gorllewinol Alaska.

Yn y cyfamser, roedd yr Americanwyr yn llyfu eu clwyfau ac yn paratoi i daro 'nôl. Roedd Japan, yr arch bŵer milwrol, ar fin cael ergyd fawr.

> "Mae bywyd fel carcharor rhyfel yn eich newid chi. Ry'ch chi'n dysgu peidio â mynd yn rhy agos at rywun oherwydd y diwrnod canlynol, gallai fod yn farw. Mae'n debyg mai dyna pam na phriodais i byth."
>
> Charles Cleal, milwr o Brydain, yn edrych 'nôl ar ei brofiad yn ystod y rhyfel.
>
> Dyfyniad o bapur newydd *The Guardian*, 2007.

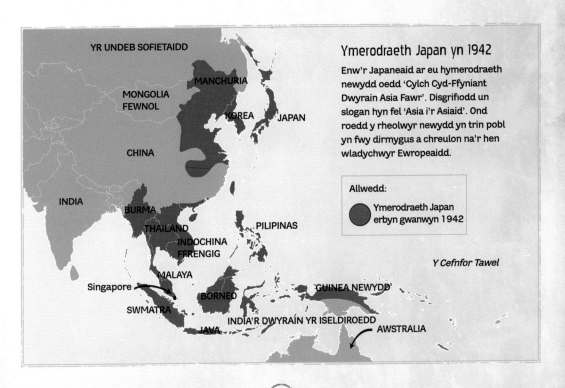

Ymerodraeth Japan yn 1942

Enw'r Japaneaid ar eu hymerodraeth newydd oedd 'Cylch Cyd-Ffyniant Dwyrain Asia Fawr'. Disgrifiodd un slogan hyn fel 'Asia i'r Asiaid'. Ond roedd y rheolwyr newydd yn trin pobl yn fwy dirmygus a chreulon na'r hen wladychwyr Ewropeaidd.

Allwedd:

● Ymerodraeth Japan erbyn gwanwyn 1942

Y Cefnfor Tawel

YR UNDEB SOFIETAIDD
MANCHURIA
MONGOLIA FEWNOL
KOREA
JAPAN
CHINA
INDIA
BURMA
THAILAND
INDOCHINA FFRENGIG
PILIPINAS
MALAYA
Singapore
BORNEO
SWMATRA
INDIA'R DWYRAIN YR ISELDIROEDD
JAVA
'GUINEA NEWYDD'
AWSTRALIA

Mae'r ffotograff arswydus hwn gan Dimitri Baltermants, o'r Undeb Sofietaidd, yn dangos canlyniad cyflafan gan luoedd yr Almaen wrth iddyn nhw gilio.

Rhyfel diarbed

Effeithiodd y Rhyfel ar y byd yn fwy nag unrhyw
wrthdaro arall erioed. Roedd yr ymosodwyr
yn defnyddio popeth yn eu gwledydd i helpu gyda'r
ymdrech rhyfel – gwyddoniaeth, diwydiant, cyflogaeth
a masnach. Yn aml byddai'r bobl gyffredin yn
y gwledydd oedd wedi'u meddiannu yn dioddef hyd
yn oed yn fwy na'r lluoedd arfog.

I ddechrau roedd llongau tanfor yr Almaen yn ennill Brwydr yr Iwerydd (gweler gyferbyn) ac roedd y criwiau'n arwyr i'r Almaenwyr.

Ond erbyn 1945, bod yn forwr tanfor oedd swydd fwyaf peryglus y Rhyfel. Suddwyd dwy o bob tair llong danfor, a lladdwyd 30,000 o 40,000 morwr tanfor yr Almaen. Dyma'r colledion mwyaf o holl unedau ymladd y Rhyfel.

Rhyfel ar y môr

O'r Cefnfor Tawel i Ogledd yr Iwerydd, daeth moroedd y byd yn faes y gad enfawr i longau rhyfel a llongau awyrennau nerthol. Roedd y rhain yn gwarchod llongau oedd yn cario milwyr a nwyddau. Hebddyn nhw, byddai wedi bod yn amhosib cludo'r miliynau o filwyr o'u gwledydd i ymladd ar feysydd y gad yn Ewrop, Affrica ac Asia.

Rhan allweddol o'r Rhyfel oedd y frwydr rhwng llongau nwyddau a llongau tanfor. Cynhyrchodd ffatrïoedd UDA lawer iawn o arfau i'r Cynghreiriaid, yn enwedig Prydain a'r Undeb Sofietaidd, ac roedd rhaid i longau masnach eu cludo ar draws moroedd y gelyn i gyrraedd y porthladd cywir. Llongau tanfor oedd gelyn pennaf y llongau nwyddau, ac roedd morwyr tanfor llynges yr Almaen yn arbennig o effeithiol.

Brwydr yr Iwerydd

Roedd *Unterseeboote*, neu *U-boats* yr Almaen yn cael eu cadw ym mhorthladdoedd arfordir yr Iwerydd yn Ffrainc. Weithiau roedden nhw'n mynd allan mewn grwpiau o chwech neu saith, neu 'haid o fleiddiaid' i chwilio am longau'r Cynghreiriaid a'u dinistrio.

Un noson ym mis Hydref 1940, er enghraifft, suddon nhw 20 o 35 llong nwyddau o Gonfoi SC7, a gariai arfau a nwyddau gwerthfawr i Brydain. Cyfaddefodd Winston Churchill mai'r *U-boats* oedd yr unig beth a ofnai, a bod rhaid eu trechu er mwyn i Brydain oroesi. Galwodd y rhan hon o'r Rhyfel yn 'Brwydr yr Iwerydd'.

Amddiffyn llwybrau'r môr

Wrth i'r Rhyfel fynd rhagddo, datblygwyd tactegau newydd i amddiffyn llongau nwyddau. I ddechrau, dim ond ar yr wyneb, yn y nos, roedd U-boats yn ymosod. O dan y dŵr, roedd ASDIC, dull cynnar o ganfod sain, yn gallu eu clywed. Ond pan ddechreuodd llongau gael technoleg newydd radar, daeth hi'n haws gweld U-boats ar yr wyneb. Felly roedd rhaid iddyn nhw ymosod o dan y dŵr eto, lle roedd hi'n fwy anodd tanio'r torpidos yn gywir.

Daeth datblygiad mawr wrth i wyddonwyr Prydain ddeall codau'r Almaen ar ôl cipio peiriant codio o U-boats ym mis Mai 1941 (gweler t.46). Ar ôl hyn, pan oedd U-boats yn anfon signalau mewn cod i ddweud lle roedden nhw, roedd confois y Cynghreiriaid yn gwybod ac roedd llongau ac awyrennau'n barod i'w hamddiffyn.

"Erbyn canol nos roedd yr ardal i gyd bron fel golau dydd oherwydd y llongau oedd yn llosgi."

Is-gapten Robert Sherwood, Llynges Frenhinol Prydain, yn cofio'r nos pan gollodd Confoi SC7 20 o'i 35 llong.

Llong ryfel y Cynghreiriaid yn gollwng ergyd ddofn ar long danfor yr Almaen oedd yn ymosod ar gonfoi allan yng Nghefnfor Iwerydd.

Menywod yn y Rhyfel

Yn ystod yr Ail Ryfel Byd, gweithiodd miliynau o fenywod mewn ffatrïoedd, pyllau glo a gweithfeydd dur, yn lle'r dynion a aeth i ymladd. Ond aeth rhai i ymladd eu hunain, naill ai achos eu bod eisiau neu achos bod rhaid iddyn nhw.

Y Rhosyn Gwyn

Lilya Litvak, y peilot ymladd o Rwsia, oedd un o'r menywod enwocaf. Saethodd 12 awyren yr Almaen i lawr, felly hi oedd 'archbeilot' y menywod.

Roedd hi'n fach ac yn dlws, a'i llysenw oedd 'y Rhosyn Gwyn', oherwydd ei bod yn peintio blodyn newydd ar drwyn ei hawyren ymladd Yak bob tro ar ôl trechu awyren yr Almaen.

Daeth Lilya'n enwog am fentro, ond costiodd hyn ei bywyd iddi yn y pen draw. Y tro diwethaf iddi gael ei gweld, roedd wyth awyren ymladd yr Almaen yn ei herlid.

Hebogau benywaidd Stalin

Yn ystod blwyddyn gyntaf y Rhyfel, roedd gan beilotiaid ymladd y Sofietaidd, neu 'Hebogau Stalin' yn ôl y papurau newydd, siawns o 50% o gael eu lladd. Roedd hi'n amhosib dal ati fel hyn, felly roedd rhaid derbyn gwirfoddolwyr benywaidd, llawer ohonyn nhw wedi dysgu hedfan mewn clybiau ieuenctid. Erbyn diwedd y Rhyfel, menyw oedd un o bob deg peilot ymladd Sofietaidd.

Lilya Litvak, ar y chwith eithaf, gyda dwy arall oedd yn beilotiaid awyrennau ymladd. Yr un ar y dde'n unig fyddai'n dod drwy'r Rhyfel yn fyw.

Menywod ar y llinell flaen

Yn Nwyrain Ewrop, roedd menywod yn llawer
nes at yr ymladd na menywod Prydain ac UDA.
Roedd menywod Rwsia'n aml yn ymladd wrth
ochr dynion ar y llinell flaen, ac yn saethwyr ac
yn beilotiaid ymladd. Ymunodd menywod Gwlad
Pwyl â'r ymladd adeg Gwrthryfel Warsaw yn 1944
(gweler t.81). Hefyd roedden nhw'n cymryd rhan yn
ymgyrchoedd y partisaniaid y tu ôl i'r llinellau.

Ymunodd menywod Prydain ac America fel nyrsys
a pheilotiaid fferi a gwaith atodol arall. Yr unig rai
oedd yn ymladd oedd aelodau'r Gwrthsafiad, corff
cyfrinachol a ymladdodd yn erbyn yr Almaenwyr
oedd wedi meddiannu Ewrop.

Roedd y Natsïaid yn erbyn cael menywod yn
gwneud 'swyddi dynion'. Ond tua diwedd y Rhyfel,
cafodd menywod saethu drylliau gwrthawyrennol
yn yr Almaen.

Violette Szabo

Dynes ifanc oedd Violette
Szabo, o gefndir Saesnig a
Ffrengig. Roedd ei gŵr wedi'i
ladd yn ymladd. Cafodd ei
gollwng ar barasiwt i mewn
i Ffrainc i ymladd gyda'r
Gwrthsafiad.

Ar ôl cael ei dal yn saethu
yn erbyn milwyr yr Almaen,
saethwyd hi yng Ngwersyll
Crynhoi Ravensbruck yn
1945, gyda dwy arall o
Brydain.

Ar ôl iddi farw, enillodd
ddwy wobr am
ddewrder:
Croes Siôr a
Croix de Guerre
Ffrainc.

Gwyddoniaeth rhyfela

Yn ystod yr Ail Ryfel Byd, gweithiai gwyddonwyr ddydd a nos i greu arfau, peiriannau a moddion newydd. Daeth datblygiadau gwyddonol yn llawer cynt nag adeg heddwch, gan fod eu datblygu yn rhoi mantais allweddol i un ochr dros y llall.

Cyn y Rhyfel, datblygodd yr Almaenwyr ddyfais godio soffistigedig, o'r enw ENIGMA, i anfon negeseuon at gadfridogion a chomanderiaid *U-boats*. Roedd y Prydeinwyr, oedd yn daer eisiau gwybod pryd byddai ymosodiad ar eu llongau, yn methu datrys y cod.

Ond yna llwyddodd Prydain i gipio llyfr codau ENIGMA o *U-boat*. Dyfeision nhw gyfrifiadur maint ystafell, o'r enw Colossus, er mwyn deall y codau. Ond roedd yr Almaenwyr mor hyderus na allai neb ddeall y codau, dalion nhw i'w defnyddio drwy'r Rhyfel.

Cafodd y gwrthfiotig penisilin ei ddarganfod yn niwedd y 1920au, ond dim ond yn 1943 y datblygodd Merck & Co, cwmni fferyllol o UDA, dechneg i'w gynhyrchu ar raddfa fawr.

Erbyn mis Mehefin 1944, roedd 2.3 miliwn dos wedi'u paratoi i drin milwyr oedd wedi cael anaf wrth ymladd.

Roedd yr awyren ymladd jet gyntaf, *Messerschmitt* Me-262 yr Almaenwyr, ymhell o flaen ei hamser. Roedd yn gynt nag unrhyw un o awyrennau'r Cynghreiriaid, ond dim ond yn 1944 y cafodd ei chyflwyno a dim ond ychydig a gynhyrchwyd.

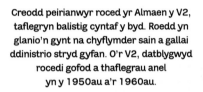

Creodd peirianwyr roced yr Almaen y V2, taflegryn balistig cyntaf y byd. Roedd yn glanio'n gynt na chyflymder sain a gallai ddinistrio stryd gyfan. O'r V2, datblygwyd rocedi gofod a thaflegrau anel yn y 1950au a'r 1960au.

Mae angen llawer iawn o danwydd ar danciau, awyrennau a thryciau, ond doedd gan yr Almaenwyr ddim cyflenwadau eu hunain, heblaw am lo. Felly dyfeisiodd peirianwyr cemegol yr Almaen dechneg i gynhyrchu petrol synthetig o lo. Erbyn 1944, roedd ffatrïoedd cemegol yn cynhyrchu o leiaf hanner y tanwydd i'r Rhyfel.

Mae'n debyg mai'r bom atomig oedd dyfais bwysicaf y Rhyfel. Daeth â diwedd sydyn i'r Rhyfel yn erbyn Japan ym mis Awst 1945.

Cafodd ei ddatblygu yn UDA fel prosiect cyfrinachol â'r enw cod Manhattan, a chafodd ei brofi yn niffeithwch New Mexico, UDA.

Bomio 24 awr

Tua diwedd y Rhyfel, bomiodd y Cynghreiriaid yr Almaen ddydd a nos.

Fel arfer UDA, oedd ag awyrennau bomio cyflymach a gwell arfau, fyddai'n ymosod liw dydd. Roedden nhw'n anelu at dargedau penodol fel ffatrïoedd.

Prydain, oedd ag awyrennau arafach, a heb arfau cystal, fyddai'n bomio liw nos, fel na fyddai gan bobl yr Almaen gartrefi.

Marwolaeth oddi uchod

Roedd technoleg awyrennau wedi llamu ymlaen ers y Rhyfel Byd Cyntaf. Yn lle awyrennau dwbl bregus, daeth awyrennau ymladd cyflym ac awyrennau bomio pedair injan a allai gario 6,300kg (14,000 pwys) neu ragor o fomiau ffrwydron ffyrnig.

Roedd gwledydd Ewrop yn ofni'r bomio. Roedd llywodraethau'n poeni y gallai achosi panig mawr, fel bod cyfraith a threfn yn chwalu a'r wlad yn methu rhyfela.

Ond, pan ddaeth y Rhyfel yn 1939, ddigwyddodd hynny ddim. Gwnaeth y *Luftwaffe* ddifrod mawr i ddinasoedd fel Warsaw, Rotterdam a Llundain. Ond roedd pobl fel tasen nhw'n fwy penderfynol o ddal ati i ymladd.

Swyddog y Natsïaid yn goruchwylio milwyr sy'n helpu i glirio'r difrod ar ôl i Hamburg gael ei ddinistrio yn ystod haf 1943.

'Medi'r chwyrlwynt'

Wrth i'r Rhyfel droi yn erbyn yr Axis, dioddefodd dinasoedd yr Almaen fel Hamburg a Dresden ddinistr dychrynllyd. Defnyddiai awyrennau bomio'r Cynghreiriaid fomiau tân bach a ffrwydron ffyrnig. Roedd yr ymosodiadau mor ffyrnig, roedden nhw'n creu storm dân fawr, a achosai wyntoedd cryf oedd yn sugno pobl i'w canol. Yn Japan, dinistriwyd hanner adeiladau Tokyo.

Doedd pethau ddim yn hawdd i'r awyrennau bomio chwaith. Roedd drylliau gwrthawyrennol ar y llawr yn tanio sieliau, o'r enw 'flak', a ffrwydrai o'u cwmpas. Hefyd roedd yr awyrennau bomio mawr yn dargedau hawdd i awyrennau ymladd chwim. Lladdwyd bron i hanner criwiau awyrennau bomio'r Cynghreiriaid. Ar y cyrchoedd mwyaf peryglus, efallai mai un o bob tri deg yn unig a oroesodd.

"Daeth y Natsïaid i mewn i'r rhyfel hwn gan dwyllo eu hunain fel plant eu bod nhw'n mynd i fomio pawb arall, a bod neb yn mynd i'w bomio nhw. Maen nhw wedi hau'r gwynt, a nawr maen nhw'n mynd i fedi'r chwyrlwynt."

Syr Arthur Harris,
Pennaeth Rheolaeth
Awyrennau Bomio Prydain.

Dinistrio Dresden

Ym mis Chwefror 1945, ymosododd y RAF ar Dresden yn un o gyrchoedd awyr mwyaf drwg-enwog y Rhyfel. Roedd y ddinas dan ei sang â ffoaduriaid, a lladdwyd o leiaf 25,000 o sifiliaid (menywod a phlant yn bennaf). Dinistriwyd canol yr hen ddinas bron yn llwyr.

Roedd y RAF yn honni bod Dresden yn darged cyfreithlon oherwydd ei fod yn ganolbwynt i drafnidiaeth ac roedd sawl ffatri arfau yno. Ond roedd llawer yn meddwl mai 'trosedd ryfel' oedd y cyrch.

Diwydiant yn mynd i ryfel

I unrhyw wlad sy'n rhyfela, mae'r ymdrech i gynhyrchu arfau, sieliau a bomiau lawn mor bwysig â gallu'r milwyr i ymladd. Camsyniad mwyaf Hitler oedd ymladd yn erbyn tri o bwerau diwydiannol mwyaf y byd. Oherwydd eu bod yn gallu cynhyrchu mwy o danciau, llongau ac awyrennau na phwerau'r Axis, llwyddodd y Cynghreiriaid i ennill y Rhyfel.

Cynhyrchodd UDA fwy o arfau nag unrhyw wlad arall. Hyd yn oed cyn ymuno â'r Rhyfel yn 1941, roedd yr Americanwyr yn darparu arfau i Brydain a'r Undeb Sofietaidd. Rhwng 1940 a 1945, llwyddon nhw i gynhyrchu 200,000 o awyrennau ymladd.

> "Tref filwrol oedd Long Beach. Roedd sawl gorymdaith y flwyddyn. Byddai milltir ar ôl milltir o danciau'n gyrru i lawr Pine Avenue a phawb yn sefyll, yn gweiddi hwrê ac yn chwifio baneri. Roedd hyn yn atgoffa pawb o hyd ein bod yn wlad gryf iawn a bod popeth yn mynd i fod yn iawn."
>
> Sheril Cunning, gweithiwr mewn ffatri arfau yn California, wedi'i ddyfynnu yn *The Good War* gan Studs Terkel

Yn ddiogel rhag ymosodiadau'r gelyn, mae ffatri yn UDA yn cynhyrchu rhesi o awyrennau bomio B-17 'Flying Fortress'.

Bomio ffatrïoedd

Ym mhob un o wledydd y Cynghreiriaid, bu menywod yn gweithio mewn ffatrïoedd arfau – ond yn yr Almaen, ddigwyddodd hynny ddim am dipyn. Ac roedd mantais unigryw gan ffatrïoedd UDA yn y Rhyfel – roedden nhw'n rhy bell o'r ymladd i'r gelyn eu bomio.

Ar y llaw arall, roedd ffatrïoedd Sofietaidd yn aml yn cael eu codi'n agos at yr ymladd. Roedd y gweithwyr wrthi mewn bynceri neu geudyllau tanddaearol, yn cynhyrchu tanciau, awyrennau a drylliau maes i'w cludo'n gyflym i'r ffrynt.

Gweithiwr arfau Sofietaidd mewn ffatri'n agos at y ffrynt. Cafodd lluoedd Rwsia arfau gan Brydain ac UDA, ond yn eu ffatrïoedd nhw eu hunain y cynhyrchwyd llawer o'u harfau mwyaf llwyddiannus.

Ceisiodd y Cynghreiriaid ddod â'r Rhyfel i ben drwy fomio ffatrïoedd arfau'r Almaen. Ond doedd y bomio ddim mor effeithiol â'r disgwyl. Er bod ymosodiadau cyson, cododd cynhyrchu diwydiannol yr Almaen drwy 1944.

Llafur caethion

Ar ddiwedd y rhyfel yn unig y gadawodd y Natsïaid i fenywod weithio mewn ffatrïoedd. Doedden nhw ddim yn hoffi'r syniad. Roedden nhw'n credu yn y dywediad Almaenig o'r 19eg ganrif: 'Plant, yr Eglwys a'r Gegin' – sef y tair rôl oedd fwyaf addas i fenywod.

Yn lle hyn, llenwodd yr Almaenwyr eu ffatrïoedd â chaethion o'r tiriogaethau oedd wedi'u concro.

Teimlai gweithwyr ffatrïoedd y Cynghreiriaid fod eu gwaith yn helpu i gadw eu gwlad yn rhydd. Ond doedd dim llawer o awydd gan weithwyr caethwas yr Almaen ac weithiau bydden nhw'n difrodi nwyddau neu beiriannau'n fwriadol.

Roedd y Natsïaid yn greulon wrthyn nhw, gan fygwth eu lladd os nad oedden nhw'n gweithio'n dda. Yn aml bydden nhw'n syrthio a marw wrth orweithio.

Ymladd am China

Yn ystod y 1930au a'r 1940au, roedd rhyfel yn China a oedd lawn mor greulon a dinistriol â'r rhyfel yn Ewrop.

Ar ddechrau'r 20fed ganrif, roedd China wedi mynd drwy gyfnod o derfysg, pan chwalodd llinach Qing oedd yn 300 mlwydd oed. Erbyn dechrau'r 1930au, y Blaid Genedlaethol o dan Chiang Kai-shek oedd yn rheoli China mewn enw. Ond roedd y Cenedlatholwyr yn ymladd yn erbyn comiwnyddion China, o dan Mao-Zedong, yn ogystal â sawl arglwydd rhyfel rhanbarthol.

Japan yn bygwth

Roedd Japan yn bygwth China hefyd. Roedd arweinwyr Japan yn gweld China fel lle gwych i gael defnyddiau crai, gyda gweithlu mawr a marchnad barod i nwyddau Japan. O ddechrau'r 1930au hyd at ddiwedd y Rhyfel, ymladdodd byddin bwerus a medrus Japan â milwyr China oedd heb adnoddau a hyfforddiant da.

Rhyfel creulon Japan

Roedd gan luoedd Japan enw drwg am ymddwyn yn greulon – yn enwedig yn China, achos credent fod y bobl yn israddol.

Bu milwyr Japan yn treisio a llofruddio mewn dinasoedd wedi'u concro, fel Nanking. Defnyddiwyd nwy gwenwynig yn gyson hefyd – yr unig dro iddo gael ei ddefnyddio wrth ymladd yn ystod y Rhyfel.

Roedd awyrennau Japan hyd yn oed yn gollwng llau oedd wedi'u heintio â'r Pla Du ar ddinasoedd China.

Milwyr Japan, yn gwisgo masgiau i'w hamddiffyn rhag y nwy y maen nhw'n ei ddefnyddio i ymosod ar filwyr China, yn Shanghai, 1937.

Yma, mae milwyr Japan yn paratoi i gipio dinas Nanking. Yn ystod y dyddiau wedyn, llofruddiwyd hyd at 200,000 o ddinasyddion Nanking.

'Y Tri Phopeth'

Ymffrostiodd arweinwyr milwrol Japan y gallen nhw goncro'r wlad mewn tri mis. Ond roedd China'n rhy fawr a phoblog i'w choncro'n hawdd. Er i Japan goncro Manchuria, rhanbarth o China, ardaloedd ar yr arfordir a dinasoedd a rhwydweithiau rheilffordd allweddol, daliodd lluoedd China ei gafael ar y mewndir mawr.

Ymladdodd lluoedd China'n benderfynol. Yn fwriadol, roedden nhw'n gwneud i afonydd orlifo tiroedd wrth i Japan eu concro. Cyflwynodd cadfridogion Japan strategaeth newydd oherwydd eu bod yn colli mwy o ddynion ac yn methu cael rheolaeth. 'Y Tri Phopeth' oedd ei henw: lladd popeth, ysbeilio popeth a llosgi popeth.

O Ryfel i ryfel cartref

Erbyn i'r Rhyfel ddod i ben yn 1945, roedd lluoedd China'n dechrau ennill. Wrth i luoedd Japan adael, dechreuodd y Cenedlaetholwyr a'r comiwnyddion ymladd â'i gilydd. Dyma gam olaf rhyfel cartref a enillodd Plaid Gomiwnyddol China yn 1949.

Cost rhyfel

Gan fod China mewn anrhefn, mae'n amhosib cael ffigurau cywir am y colledion. Ond efallai y lladdwyd ac anafwyd cymaint â 20 miliwn o bobl China, a chollodd 95 miliwn eu cartref.

Poster sy'n dangos bod UDA wedi rhoi cymorth i China yn y frwydr yn erbyn Japan.

Yr Holocost

"Rydyn ni'n mynd i ddinistrio'r Iddewon ... Mae dydd barn wedi dod."

Hitler wrth sgwrsio â Frantisek Chvalkovsky, diplomat o Tsiecoslofacia, 21 Mehefin 1939.

Iddewon yn cyrraedd Auschwitz mewn tryciau gwartheg ac yn cael eu dethol naill ai i weithio neu i gael eu lladd. Carcharorion a ddewiswyd i helpu'r gardiau yw'r dynion mewn dillad streipiog.

Roedd casineb at yr Iddewon yn bwysig i Hitler. Roedd yn eu beio am broblemau economaidd yr Almaen. Ar y dechrau, roedd y Natsïaid yn meddwl y gallen nhw anfon yr Iddewon i fyw i wledydd eraill. Ond wrth i'r Rhyfel gau ffiniau ac wrth i'r Almaen feddiannu'r rhan fwyaf o Ewrop, doedd hyn ddim yn ymarferol. Felly, yn lle hynny, anfonwyd Iddewon i rannau arbennig o ddinasoedd, o'r enw getos.

Yn nechrau 1942, daeth swyddogion Natsïaidd i gynhadledd mewn fila wrth y llyn yn Wannsee, ger Berlin, lle meddylion nhw am gynllun dychrynllyd. Bydden nhw'n adeiladu 'gwersylloedd marwolaeth' ac yn anfon Iddewon yno i gael eu gwenwyno â nwy. Roedd hyn yn fwy effeithiol na saethu, oedd yn 'creu llanast' ac yn rhy gyhoeddus. 'Yr Ateb Terfynol i Gwestiwn yr Iddewon' oedd enw'r Natsïaid ar hyn.

Crogwyr Hitler

Dyma dri o'r prif rai oedd yn gyfrifol am yr Ateb Terfynol.

Heinrich Himmler, pennaeth yr S.S. (adain filwrol y Blaid Natsïaidd). Ef a feddyliodd am yr Ateb Terfynol, gan ei ddisgrifio fel 'pennod ogoneddus nad oes neb ac na fydd neb yn sôn amdani'.

Reinhard Heydrich oedd pennaeth Prif Swyddfa'r S.S. yn yr Almaen a chadeirydd Cynhadledd Wannsee. 'Y bwystfil penfelyn' oedd enw ei gydweithwyr arno.

Adolf Eichmann a drefnodd symud yr Iddewon i gyd i'r gwersylloedd marwolaeth. Iddo fe, 'problem storio' oedd yr Iddewon oedd yn byw mewn getos.

Ffatri farwolaeth

Byddai'r Iddewon yn dod i Auschwitz ar y trên. Câi'r rhan fwyaf o'r menywod a'r plant eu hanfon i gael eu lladd yn y siambrau nwy.

Dywedid wrth y rhai a gâi eu dewis i farw eu bod yn mynd i gael cawod. Eillid eu pennau, a defnyddid y gwallt mewn matresi ac ar gyfer ynysu a gwrthseinio mewn *U-boats* ac awyrennau.

Y gwersylloedd marwolaeth

Codwyd y gwersylloedd marwolaeth yng Ngwlad Pwyl, oedd o dan reolaeth yr Almaenwyr. Cludwyd Iddewon dros Ewrop i gyd – o Norwy i'r Cawcasws – ar drenau nwyddau i wersylloedd fel Treblinka, Sobibor, Belzec a Chelmno. Y gwaethaf oedd Auschwitz-Birkenau, lle bu farw dros filiwn o bobl rhwng 1942 a 1944.

Cafodd yr Iddewon wybod eu bod yn mynd i gael eu 'hadleoli'. Gwyddai rhai beth oedd gwir ystyr hyn ac aethon nhw i guddio. Gwrthryfelodd eraill. Ond, at ei gilydd, llofruddiwyd rhwng pump a hanner a chwe miliwn o bobl am fod yn Iddewon. 'Yr Holocost' yw'r enw ar y llofruddio torfol hwn, o'r hen Roeg am 'aberth drwy dân'.

Anfonid dillad, esgidiau a sbectolau i'r Almaen. Tynnid dannedd a modrwyon priodas aur ar ôl i'r bobl farw, er mwyn eu toddi.

Yn y siambrau nwy, gwenwynid y dioddefwyr â cyanid Zyklon B. Llosgid y cyrff a defnyddid y lludw fel gwrtaith.

Propaganda: gwirionedd a chelwydd

Yn ystod y Rhyfel, defnyddiodd y llywodraethau ar y ddwy ochr bropaganda – gwybodaeth er mwyn codi ysbryd neu annog pobl i gefnogi'r ymdrech ryfel. Ond ar brydiau, y bwriad oedd ceisio dylanwadu ar y gelyn neu ei ddrysu. Mewn cyfnod cyn y teledu a'r we, roedd newyddion a barn pobl o dan ddylanwad papurau newydd, radio a phosteri, yn ogystal â ffilmiau newyddion a ffilmiau eraill mewn sinemâu.

Mae'r poster hwn o UDA yn defnyddio delweddau o dri arweinydd yr Axis i annog gweithwyr ffatrïoedd UDA i gynhyrchu mwy o nwyddau rhyfel.

Roedd llywodraethau'n rhoi rhybudd i bobol fod ysbiwyr yn gwrando.

Mae'r poster Natsïaidd hwn yn cyhoeddi: "Mae'r Almaen i gyd yn gwrando ar y Führer ar Radio'r Bobl". Roedd areithiau gan rai o'r prif Natsïaid fel Goebbels, y Gweinidog Propaganda, yn rhoi hwb i ysbryd pobl yr Almaen oedd wedi blino ar y Rhyfel.

Yn y dyddiau cyn bod y teledu'n gyffredin, byddai teuluoedd yn dod at ei gilydd o gwmpas y radio.

Mae'r poster hwn o Brydain yn annog menywod i helpu gyda'r ymdrech ryfel drwy weithio mewn ffatrïoedd arfau, fel yr un ym Mhen-y-bont. Cynhyrchodd llywodraeth UDA bosteri tebyg.

Roedd rhai menywod yn gweithio fel wardeniaid cyrchoedd awyr.

Mae'r poster hwn yn dathlu llwyddiant Japan yn Pearl Harbor. Yn yr Eidal Ffasgaidd y cafodd ei gynhyrchu. Mae baneri tri phŵer yr Axis yn cyhwfan yn y cefndir.

Mae milwr Sofietaidd yn lladd neidr Natsïaidd sydd wedi'i throi'n swastica, symbol y Blaid Natsïaidd. Ystyr y geiriau yw: "Marwolaeth i'r Bwystfil Ffasgaidd!"

Roedd y Rwsiaid yn gollwng taflenni propaganda ar fi lwyr yr Almaen.

Milwyr UDA yn mynd am draeth ar Makin Atoll yn Ynysoedd Gilbert, ym mis Tachwedd 1943. Mae drylliau peiriant Japan yn tanio arnyn nhw.

Pennod 4

Yr Axis yn encilio

Erbyn 1942, roedd ymerodraeth newydd Hitler yn ymestyn o Norwy i ffiniau Canolbarth Asia'r Sofietiaid. Yn y Cefnfor Tawel, roedd Awstralia'n ofni y byddai Japan yn ymosod. Ond roedd pwerau'r Axis wedi mynd yn rhy bell. Yn yr Undeb Sofietaidd, cafodd byddinoedd Hitler eu trechu mewn brwydrau a gostiodd fywydau miliynau o filwyr. Yn y Cefnfor Tawel, sylweddolodd Japan yn fuan iawn mor bwerus oedd America, y gelyn.

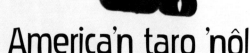

Awyren fomio Dauntless UDA yn gollwng ei bom. Awyrennau fel hyn, yn codi o longau awyrennau, fyddai dyfodol rhyfela ar y môr.

Maes y gad yn y Cefnfor Tawel

Dangosodd Brwydrau'r Môr Cwrel a Midway (ar y dde) fod UDA wedi dod dros drychineb Pearl Harbor o'r diwedd. A rhoddon nhw stop ar gynlluniau Japan i ehangu ei hymerodraeth yn y Cefnfor Tawel.

Ond er nad oedd llynges Japan yn rheoli llwybrau'r Cefnfor Tawel erbyn hyn, ymladdon nhw'n benderfynol i ddal eu gafael ar eu hymerodraeth newydd.

America'n taro 'nôl

Roedd ymosodiad Japan ar y Cefnfor Tawel mor llwyddiannus, erbyn gwanwyn 1942, roedd y cadlywyddion yn ystyried goresgyn Awstralia. Roedd Hawaii, oedd yn rhan o UDA, yn darged hefyd. Dyma lle ymosodon nhw ar Pearl Harbor chwe mis ynghynt.

Bu cynllunwyr milwrol Japan wrthi'n brysur yn cyfnewid signalau mewn cod oedd yn rhoi manylion cynlluniau newydd. Yn anffodus iddyn nhw, roedd yr Americanwyr yn deall y cod.

Brwydr Rhyfel y Môr Cwrel

Ar ddechrau mis Mai 1942, aeth llynges o 50 llong o Japan i dde Guinea Newydd, i aros cyn ymosod ar Awstralia. Ond cawson nhw eu rhwystro yn y Môr Cwrel. Yma, am y tro cyntaf, ymladdwyd brwydr gyfan ag awyrennau o longau awyrennau – welodd y naill ochr a'r llall mo longau ei gilydd. Dinistriodd Japan un llong awyren a 65 awyren. Ond collodd Japan bron i ddwbl hynny. Roedd UDA yn gallu cael llongau ac awyrennau newydd, ond roedd yn ergyd fawr i Japan.

Japan yn mynd yn rhy bell

Serch hynny, dalion nhw ati i gynllunio i goncro Hawaii, gan anfon llynges goresgyn enfawr i feddiannu canolfan llynges UDA ym Midway yng nghanol y Cefnfor Tawel.

Unwaith eto, clywodd comanderiaid UDA signalau radio felly gwyddent yn union beth oedd cynllun Japan. Roedd y Llyngesydd Yamamoto, oedd yn arwain llynges Japan, yn gobeithio am 'frwydr derfynol' a fyddai'n dinistrio grym UDA unwaith ac am byth.

Brwydr Midway

Dechreuodd y frwydr ar fore 4 Mehefin 1942, pan ymosododd awyrennau o ganolfannau a llongau awyrennau UDA ar lynges Yamamoto. Mewn chwe munud rhyfeddol, aeth tair o longau awyrennau Japan – *Kaga*, *Akagi* a *Soruy* – yn wenfflam. Suddodd y tair llong, ac un arall, *Hiryu*, yn nes ymlaen. Un yn unig gollodd UDA: *Yorktown*. Roedd cynllun Yamamoto wedi methu: daeth ehangiad Japan i ben yn sydyn.

Bywyd ar long

Roedd llong fel *Yorktown* yn dal 90 awyren a chriw o dros 2,200 dyn. Roedd bywyd ar ei bwrdd yn swnllyd ac yn beryglus, yn enwedig i'r dynion ar y bwrdd hedfan. Nhw oedd yn gyfrifol am arfogi'r awyrennau, y tanwydd, ac am y codi a'r glanio.

Er ei bod mor enfawr, gallai *Yorktown* deithio dros 23,000km (14,500 milltir) – pellter ar y môr fel y daith o Lundain i Sydney, Awstralia. Ei chyflymder uchaf oedd 60cya (37 mya).

Er mwyn dangos eu cryfder, adeiladodd UDA long awyrennau newydd o'r enw *Yorktown* a'i rhoi ar waith yn y Cefnfor Tawel ryw flwyddyn ar ôl i'r llong wreiddiol gael ei suddo.

Y criw yn gweithio ar un o awyrennau *Yorktown*.

Dyma ffotograff o *USS Yorktown*, wedi ei difrodi'n wael gan fomiau Japan yn ystod Brwydr Midway. Ymhen rhai oriau, bydd y llong enfawr hon yn suddo.

Rhyfelwyr anfoddog

Cyn pen rhai misoedd ar ôl yr ymosodiad ar eu trefedigaethau yn Affrica (ar y dde), roedd 115,000 o filwyr yr Eidal wedi ildio i lu llawer llai o Brydain a'r Gymanwlad.

Sylw bachog Anthony Eden, ysgrifennydd tramor Prydain oedd, "Never has so much been surrendered by so many to so few." – adlais o'r hyn a ddywedodd Winston Churchill am beilotiaid Brwydr Prydain (gweler t.31).

Yn y darlun hwn o filwyr y Cynghreiriaid yn ymladd, gan Will Longstaff, yr arlunydd rhyfel, mae'r tanciau'n fwy nag ydyn nhw go iawn – efallai i bwysleisio pa mor bwysig oedden nhw yn ehangder meysydd y gad yn y diffeithwch.

Rhyfel yn y diffeithwch

Mae arweinwyr milwrol yn hoffi rhyfela yn y diffeithwch. Does dim llawer o drefi neu rwystrau yn y ffordd, felly gallan nhw symud eu milwyr fel y mynnan nhw. Ond mae'n anodd iawn i'r milwyr – mae'r diffeithwch yn boeth neu'n oer, does dim bwyd neu ddŵr, ac mae'n anodd dod o hyd i'r ffordd heb nodweddion tirlun.

Yr Eidal yn ymosod

Dechreuodd y rhyfel yn y diffeithwch yn 1940, pan ymunodd Mussolini â'r Almaen ac ymosod ar yr Aifft (un o drefedigaethau Prydain i bob pwrpas). Ond methodd yr ymosodiad ac ymosododd lluoedd y Cynghreiriaid ar drefedigaethau'r Eidal: Libya, Abyssinia (Ethiopia) a Dwyrain Affrica'r Eidal.

Bu'n rhaid i Hitler anfon milwyr i achub ei gynghreiriad. Llwyddodd yr Afrika Korps oedd newydd ei ffurfio o dan arweiniad Erwin Rommel, un o gadfridogion mwyaf galluog y Rhyfel, i wthio Prydain 'nôl i'r Aifft ac roedd yn bygwth meddiannu arfordir Gogledd Affrica i gyd.

Yr Afrika Korps

Yn ystod yr ychydig flynyddoedd cyntaf, symudodd y ffiniau 'nôl ac ymlaen rhwng y ddwy ochr. Ond ym mis Awst 1942, cafodd milwyr blinedig y Cynghreiriaid hwb pan benodwyd cadlywydd penderfynol newydd, Bernard Montgomery, neu 'Monty'.

El Alamein

Daeth y trobwynt yn ail frwydr El Alamein, tref yn niffeithwch yr Aifft, ym mis Hydref 1942. Roedd yr Afrika Korps wedi eu hamgylchynu eu hunain â ffrwydrynnau a maglau ffŵl. Ond, erbyn i'r ymosodiad ddod, roedd Rommel wedi'i anfon adref, wedi ymlâdd ar ôl misoedd o ymladd dwys. Hefyd doedd dim awyrennau i helpu'r Almaenwyr – roedden nhw wedi'u hanfon i'r Undeb Sofietaidd – cam gwag mawr.

Ar ôl i'r gynnau mawr ymosod, dechreuodd yr Almaenwyr encilio. Fis yn ddiweddarach, glaniodd lluoedd y Cynghreiriaid ym Moroco ac Algeria. Ildiodd milwyr yr Axis: roedden nhw wedi'u dal yn y canol.

Dau gadfridog mawr

Roedd Rommel neu 'Cadno'r Diffeithwch' yn fedrus a chyfrwys ac yn arwr rhyfel i'r Almaenwyr. Cyfaddefodd Winston Churchill hyd yn oed ei fod yn gadfridog gwych.

Ond ar ôl i'r Almaenwyr golli yn El Alamein, pylodd seren Rommel. Yn 1944, roedd yn rhan o gynllwyn i ladd Hitler a chafodd orchymyn i'w ladd ei hun.

Pan oedd Montgomery'n swyddog ifanc yn y Rhyfel Byd Cyntaf, roedd wedi gweld lladdfa ddifrifol, felly roedd yn ofalus o fywydau ei filwyr ei hun.

Roedd nifer o gadfridogion a gwleidyddion yn ei gael yn ddyn anodd. Meddai Churchill amdano: "In defeat, unbeatable. In victory, unbearable."

Dioddef yn Stalingrad

Gan fod Moscow a Leningrad yn dal heb eu concro, rhoddodd Hitler orchymyn i'w filwyr fynd i'r de. Y wobr oedd meysydd olew ardal y Cawcasws, ar ffiniau Asia.

Gydol haf 1942, cipiodd milwyr yr Almaen, o dan arweiniad y Cadfridog Friedrich Paulus, ddarnau mawr o diriogaeth Sofietaidd. Ym mis Awst, daethon nhw at ddinas ddiwydiannol Stalingrad – cartref i 400,000 o bobl a chanolfan bwysig i drafnidiaeth y rhanbarth.

> "Mae ein bataliwn a'r tanciau'n ymosod ar y codwr grawn. Mae'r bataliwn yn dioddef colledion trwm. Nid dynion sydd yn y codwr ond diawliaid na all bwledi neu fflamau eu dinistrio."
>
> Dyddiadur y Preifat Wilhelm Hoffman, 6ed Byddin yr Almaen.

Yr Almaen yn ymosod

I ddechrau, anfonodd yr Almaen 600 awyren i fomio'r ddinas. Er bod llawer o bobl wedi ffoi'n barod, lladdwyd tua 40,000 o sifiliaid mewn cyrchoedd awyr ac ymosodiadau gynnau mawr ar ddechrau'r frwydr. Ond paratoi at eu dinistr eu hunain roedd yr Almaenwyr. Wrth iddyn nhw droi'r ddinas yn rwbel, aeth hi'n haws i'r Sofietiaid amddiffyn eu dinas.

Milwyr y Sofietiaid yn symud ymlaen drwy rwbel Stalingrad, yn heulwen oer y gaeaf. Yn wahanol i filwyr yr Almaen, maen nhw'n gwisgo dillad gaeaf cynnes.

Y Sofietiaid yn dal eu tir

Aeth mis heibio, ond daliodd y Sofietiaid eu tir, yn
aml yn arwrol, gan ymladd fesul ystafell ar draws
sgerbwd chwâl y ddinas.

Yn nechrau mis Hydref, penderfynodd Paulus
wneud un ymosodiad arall. Ymladdodd ei ddynion
wyneb yn wyneb â'r gelyn yn nrysfa gweddillion
gweithfeydd dur a ffatrïoedd. Ond methu wnaeth
yr ymosodiad.

Milwyr yr Almaen yn
cerdded drwy storm eira.
Doedden nhw ddim yn
barod am aeaf caled Rwsia.

Rhewi i farwolaeth

Wrth i'r gaeaf ddod, roedd yr Almaenwyr yn dal
i wisgo dillad haf. Y tu allan i Stalingrad, targedodd
y Sofietiaid gynghreiriaid yr Almaen – Eidalwyr,
Romaniaid a Hwngariaid a oedd yn dal y tir o gwmpas
y ddinas – a llwyddo i'w cael i ildio mewn dim o dro.

Cyn pen wythnos, roedd byddin Paulus wedi'i
hamgylchynu. Â'r milwyr heb gyflenwadau ac yn
methu symud y rhai a anafwyd, dechreuon nhw
chwalu. Bu farw dynion o ewinrhew neu drwy rewi.
Ar 2 Chwefror, ildion nhw: cymerwyd 91,000 yn
garcharorion, ond dim ond 5,000 oroesodd
y Rhyfel. Roedd Stalingrad yn adfeilion – un o bob
100 adeilad oedd yn dal i sefyll.

Marw neu ildio?

Tua diwedd y frwydr,
dyrchafodd Hitler Paulus i
fod yn faeslywydd. Doedd
dim un maeslywydd o'r
Almaen wedi cael ei gipio
erioed, felly neges oedd
hon iddo ei ladd ei hun,
nid ildio.

Er bod Paulus yn deall
neges Hitler, gwrthododd
ei ddilyn, ac ildiodd yn lle
hynny.

Ymddiffeithio

Roedd y Rhyfel yn y Dwyrain yn fwy ffyrnig nag yn y Gorllewin. Pan oedd y naill ochr neu'r llall yn encilio, roedden nhw'n dinistrio unrhyw beth y gallai'r gelyn ei ddefnyddio – cnydau, da byw, adeiladau, pontydd, rheilffyrdd . . .

Erbyn diwedd y Rhyfel, roedd Rwsia wedi colli bron i draean ei holl gyfoeth fel hyn. 'Ymddiffeithio' oedd yr enw ar y polisi bwriadol i ddifrodi.

Milwyr Sofietaidd yn rhedeg i ddal i fyny â'r tanciau cyflym yn ystod Brwydr Kursk.

Brwydr Kursk

Roedd Stalingrad yn ergyd fawr i luoedd yr Almaen, ond doedden nhw ddim wedi'u trechu. Tua mis wedyn, cipion nhw ddinas Kharkov. Yna daeth targed arall i'r golwg: 300km (200 milltir) i'r gogledd, roedd tair byddin Sofietaidd yn amddiffyn dinas Kursk. Roedd lluoedd yr Almaen mewn sefyllfa gref i amgylchynu'r ddinas a'u trechu.

Erbyn y cyfnod hwn yn y Rhyfel, roedd gan y lluoedd Sofietaidd ddigon o arfau a thanciau, ac roedd eu milwyr yn ymladd yn fedrus. Ond yn Kursk roedd gan yr Almaenwyr fantais farwol: tanciau newydd, y Panther a'r Teigr, oedd yn llawer gwell na'r T-34, tanc arferol y Sofietiaid.

Ym mis Gorffennaf 1943, ar stepdiroedd gwastad yr Undeb Sofietaidd, dechreuodd y frwydr danciau fwyaf erioed mewn glaw trwm. Roedd mwy o ddynion a thanciau'n ymladd â'i gilydd nag yn yr ymgyrch yn y Gorllewin i gyd dros y ddwy flynedd nesaf.

Enillwyr a chollwyr

Dros y frwydr wyth niwrnod, lladdwyd neu anafwyd dros 90,000 o ddynion. Collodd y Sofietiaid 2,300 tanc; a'r Almaenwyr, 400. Roedd hi'n edrych fel tasai'r Almaenwyr wedi ennill. Ond, er iddyn nhw ddefnyddio traean o'u holl nerth milwrol yn Kursk, methon nhw dorri amddiffyn y Sofietiaid. Roedd y Sofietiaid yn cynhyrchu tanciau'n gynt nag y gallai'r Almaenwyr eu dinistrio. Yn y rhyfel hir hwn, roedd y nifer yn bwysicach na'r ansawdd.

Ergyd arall

Yn y cyfamser, filoedd o filltiroedd i ffwrdd, yn nyfroedd cynnes, glas y Môr Canoldir, roedd milwyr y Cynghreiriaid yn glanio yn Sisili. Roedden nhw'n goresgyn yr Eidal. Symudodd Hitler rai o'i luoedd i'r de, ac enciliodd gweddill byddin yr Almaen yn yr Undeb Sofietaidd i ailgynnull ac atgyweirio. Dros y ddwy flynedd nesaf, symudodd y Rhyfel yn ddi-droi'n-ôl yn erbyn Pwerau'r Axis.

Brwydr y Mawrion

Yma cewch gymharu lluoedd ac offer yr Undeb Sofietaidd a'r Almaen

◾ Yr Undeb Sofietaidd
◻ Yr Almaen

Dynion
1,300,000
900,000

Tanciau
3,600
2,700

Awyrennau
2,400
2,000

Gynnau mawr
20,000
10,000

Trychineb yr Eidal

Roedd Mussolini wedi breuddwydio am ymerodraeth Rufeinig newydd, gan ymffrostio mai 'llyn Eidalaidd' oedd y Môr Canoldir. Ond methodd pob ymdrech filwrol gan yr Eidal. Yn ystod yr antur gyntaf yn Affrica, saethwyd a lladdwyd Italo Balbo, Cadbennaeth yr Eidal gan ei saethwyr gwrthawyrennol ei hun. Roedd milwyr yr Eidal heb offer da a heb arweiniad da. Doedd llawer o Eidalwyr ddim wedi eisiau ymladd ar ochr Hitler. Ar ddiwedd ei fywyd, gwelai Hitler mai un o'i gamsyniadau mwyaf oedd ei gynghrair â'r Eidal.

I fyny i'r Eidal

Ar ôl ennill yng Ngogledd Affrica, glaniodd milwyr y Cynghreiriaid ar ynys Sisili ar 10 Gorffennaf 1943. Concrwyd hi mewn pum wythnos. Ar 3 Medi, glanion nhw ar dir mawr yr Eidal, gan fwriadu mynd tua'r gogledd. Dyma llywodraeth yr Eidal, oedd yn trafod yn gyfrinachol â'r Cynghreiriaid yn barod, yn llofnodi cadoediad ac yn ildio. Dros nos, roedd milwyr yr Almaen wedi troi o fod ar ochr yr Eidal i fod yn elynion iddyn nhw.

Gynnau mawr ac awyrennau'r Cynghreiriaid yn troi Monte Cassino yn adfeilion ym mis Mawrth 1944. Roedd lluoedd yr Almaen wedi troi'r dref hanesyddol hon yn gaer.

Er i'r Almaenwyr fynd ag arfau milwyr yr Eidal, newidiodd llawer ohonyn nhw eu hochr. Erbyn diwedd y flwyddyn, roedd o leiaf 350,000 o Eidalwyr yn ymladd ar ochr y Cynghreiriaid.

Oherwydd y mynyddoedd a'r afonydd, roedd yr Eidal yn wlad anodd ei choncro. I gyflymu pethau, ceisiodd cadlywyddion y Cynghreiriaid lanio milwyr y tu ôl i linellau'r gelyn ar yr arfordir. Ond yn aml doedd dim digon o longau glanio i ymosod fel hyn.

Y Cynghreiriaid yn torri drwodd

Torrodd y Cynghreiriaid drwodd yn Monte Cassino, hen fynachlog ar ben bryn roedd yr Almaenwyr wedi'i droi'n gaer. Roedd hon yn frwydr erchyll rhwng milwyr sawl gwlad a'r Almaen. Dinistrwyd y fynachlog o'r awyr ac fe'i cipiwyd gan filwyr Gwlad Pwyl. Ar ôl cipio Monte Cassino, meddiannodd y Cynghreiriaid Rufain ar 4 Mehefin 1944. Roedd yr Almaenwyr wedi'i gadael heb ei amddiffyn.

Ond cyn hir, symudodd prif sylw'r Cynghreiriaid i Ffrainc, a llwyddodd yr Almaenwyr i ddal eu gafael ar ogledd yr Eidal tan ddiwedd y Rhyfel.

Diwedd Mussolini

Cipiwyd Mussolini a'i saethu gan bartisaniaid Eidalaidd (ymladdwyr y gwrthsafiad yn erbyn yr Almaenwyr) ym mis Ebrill 1945.

Cafodd ei gorff, a chorff Clara Petacci, ei feistres, eu hongian yn y prif sgwâr ym Milan. Daeth Eidalwyr i boeri a saethu atynt gan eu bod yn casáu'r dyn oedd wedi dod â chymaint o farwolaeth a dinistr i'w gwlad.

Llun Dwight C. Shepler, yr arlunydd o UDA yn dangos ymosodiad hunanladdiad kamikaze arswydus ar long awyrennau yn ystod ymgyrch y Cefnfor Tawel.

Rhyfel yn y Cefnfor Tawel

Er i Japan gael ei threchu yn y Môr Cwrel a Midway, hi oedd yn rheoli dwyrain y Cefnfor Tawel o hyd. Nawr paratôdd milwyr Japan i wynebu'r ymosodiad oedd i ddod. Er bod Japan yn gwybod bod UDA yn llawer cryfach yn filwrol, roedd yn gobeithio dal ei gafael ar y rhan fwyaf o'r ymerodraeth newydd drwy roi ergyd fawr i UDA.

Cyrch 'Cartwheel'

Yr enw ar yr ymdrech gyntaf yn ymgyrch UDA i gael gwared ar y Japaneaid oedd 'Operation Cartwheel'. Roedd y Cadfridog Douglas MacArthur yn mynd i arwain ei ddynion drwy Guinea Newydd ac i'r Filipinas, a'r Llyngesydd Chester Nimitz yn mynd i arwain ei forwyr drwy ynysoedd y Cefnfor Tawel ac atolau Marshall a Mariana.

Rhyfel un milwr

"Doedd dim byd 'macho' am y rhyfel o gwbl. Criw o blant ofnus oedd yn gorfod gwneud job o waith oedden ni. Yr unig ffordd i ddod drwyddi oedd eu lladd nhw cyn iddyn nhw eich lladd chi. I mi, roedd y rhyfel yn hollol anwaraidd."

GI E.B. Sledge o UDA, dyfyniad o *The Good War* gan Studs Terkel.

Roedd y rhyfel yn y Cefnfor Tawel yn greulon iawn. Gwelodd milwyr y Cynghreiriaid yn fuan fod y gelyn yn barod i ymladd i'r pen. Roedd sôn bod Japaneaid oedd wedi'u hanafu'n tanio grenadau i ladd milwyr y gelyn oedd yn cynnig cymorth meddygol iddyn nhw.

Ym mis Tachwedd 1943 yn Betio, atol fechan yng nghadwyn ynysoedd Tarawa, ymladdodd 5,000 o Japaneaid mor ffyrnig dros dri diwrnod nes lladd 1,000 milwr UDA, ac anafu 2,000 o rai eraill.

Gwlff Leyte

Casglodd Japan lynges fawr ynghyd. Yng Ngwlff Leyte, ar 23-25 Hydref 1944, mewn rhan o'r Cefnfor Tawel oedd yr un maint â Ffrainc, ymladdon nhw'r frwydr fwyaf erioed ar y môr. Roedd colli'n golygu cael eu trechu. Felly, defnyddiwyd peilotiaid hunanladdiad (gweler t.84) am y tro cyntaf.

Ond, roedd awyrennau UDA yn drech na Japan, a chollon nhw 26 llong i 7 UDA. Er bod eu sefyllfa'n anobeithiol, roedd arweinwyr Japan yn benderfynol o ddal ati i ymladd.

Môr-filwyr UDA yn cysgodi yn ystod y frwydr ffyrnig ar Tarawa. O'r 5,000 o Japaneaid oedd yn amddiffyn yr ynys, 17 yn unig oedd yn fyw ar ddiwedd y frwydr.

Marwolaeth cawr

Musashi – un o'r ddwy long ryfel fwyaf ar y pryd – oedd un o golledion mwyaf Japan yng Ngwlff Leyte.

Roedd yn 263m (863 tr) o hyd ac roedd arni griw o 2,500.

Gallai naw dryll enfawr danio sieliau 45cm (18 mod.), er bod y ffrwydrad o'r barilau'n lladd y criw gerllaw weithiau.

Taniwyd 17 bom a 19 torpido o awyrennau UDA i anfon y *Musashi* a 1,023 o'i chriw i waelod y Cefnfor Tawel.

Yn ôl i Ewrop

Yn Lloegr, roedd y Cynghreiriaid wedi treulio'r ddwy flynedd ddiwethaf yn crynhoi milwyr a nwyddau i oresgyn a rhyddhau Gorllewin Ewrop o feddiant yr Almaenwyr. Y Cadfridog Dwight Eisenhower o UDA oedd yn gyfrifol am dorri drwy amddiffynfeydd yr Almaenwyr yn y gorllewin. Y broblem oedd, ble, pryd a pha mor gyflym?

Calais oedd y dewis amlwg: roedd mor agos fel ei bod yn bosib ei weld o glogwyni Dover, ond roedd wedi'i amddiffyn yn dda. Felly dewisodd Normandi. Roedd y daith ar y môr yn llawer hirach, ond roedd yno ddigon o draethau gwastad oedd yn ddelfrydol i roi llawer o ddynion a cherbydau ar y lan yn gyflym. A byddai modd ymosod o bob rhan o arfordir de Prydain.

Ymosodiad o dair ochr

Roedd rhaid bod yn gyflym. Cynllun Eisenhower oedd glanio dynion mewn llongau glanio, mewn gleiderau ac o barasiwtiau. Po fwyaf allai lanio ar y diwrnod cyntaf, anoddaf fyddai i'r Almaenwyr yrru'r milwyr 'nôl i'r môr.

Milwyr UDA yn mynd tua'r lan i wynebu gynnau peiriant yr Almaen ar draeth *Omaha*. Byddai dros fíl ohonyn nhw'n marw yma.

Dyma ffotograff o Draeth Omaha, y diwrnod ar ôl y goresgyniad. Cynllun Eisenhower oedd y dylai'r Cynghreiriaid lanio cymaint â phosib o ddynion a chyflenwadau yn ystod yr ychydig ddyddiau cyntaf.

D Day

Dechreuodd y goresgyniad – *Operation Overlord* – neu D Day – yn ystod oriau mân y bore ar 6 Mehefin 1944. Glaniodd milwyr gleiderau Prydain ger Caen i feddiannu'r ffyrdd a'r pontydd i mewn i'r ddinas. Daeth mwy o filwyr o'r awyr drwy gydol y nos. Difrododd grwpiau Gwrthsafiad Ffrainc reilffyrdd a gorsafoedd radio, i rwystro'r Almaen rhag ymateb.

Am 6:30 y bore ar 6 Mehefin, daeth y dynion cyntaf i'r lan yn ardal lanio UDA, sef Utah (gweler y map). Erbyn nos, roedd 150,000 milwr wedi cyrraedd Normandi. Yn wyrthiol, 2,500 yn unig a laddwyd.

Roedd y colledion mwyaf yn Omaha, a dros 1,000 milwr UDA yn marw wrth geisio cyrraedd gynnau peiriant yr Almaen yn y clogwyni uwchben y traeth. Aeth yr ymladd yn fwy ffyrnig wrth i fwy o Almaenwyr ddod, ond erbyn hynny roedd y Cynghreiriaid wedi ymsefydlu. Erbyn diwedd mis Mehefin, roedd dros 850,000 ohonynt wedi glanio yn Ffrainc.

Traethau'r glanio

Glaniodd y llu mwyaf erioed o'r môr ar draethau Normandi ar *D Day*. Roedd dynion o sawl un o wledydd y Cynghreiriaid yno. O UDA, Prydain a Canada roedd y rhan fwyaf, ond roedd milwyr o Ffrainc a'r Gymanwlad hefyd.

Digwyddodd Glaniadau Normandi ar bum traeth ar wahân: yr enwau cod oedd *Omaha* ac *Utah* (UDA), *Gold* a *Sword* (Prydain) a *Juno* (Canada).

Plant yn y Rhyfel

Cafodd mwy o sifiliaid nag erioed eu dal yn yr ymladd. Oherwydd
yr ymosodiadau gan awyrennau bomio, daeth marwolaeth
a dinistr i deuluoedd gannoedd o filltiroedd o feysydd y gad.
I rai plant, yn enwedig mewn gwledydd nad oedden nhw wedi'u
meddiannu, roedd y rhyfel yn gyfnod cyffrous. Ond byddai'r rhan
fwyaf yn ei gofio fel cyfnod o ofn, newyn a thrychineb.

Dau fachgen o'r Undeb Sofietaidd, sydd
wedi bod yn ymladd yn rhanbarth Kursk,
yn sefyll ar gyfer ffotograff propaganda yn
1942. Roedd cymaint o blant amddifad
ar ôl y brwydro ar Ffrynt y Dwyrain,
byddai unedau'r fyddin yn eu
mabwysiadu'n aml. Mae lluniau
fel hyn yn dangos bod y
Sofietiaid yn falch o'u
milwyr ifanc.

Roedd plant o diriogaeth roedd
y Natsïaid wedi'i meddiannu
yn Nwyrain Ewrop a'r Undeb
Sofietaidd yn aml yn cael eu
carcharu mewn gwersylloedd
a'u defnyddio i weithio fel
caethweision.

Yn y ffotograff hwn ar y dde, a dynnwyd
yn Berlin yn 1945, mae Hitler yn rhoi
medalau i fechgyn o Ieuenctid Hitler sydd
wedi bod yn ymladd â'r Sofietiaid.

Ddiwrnodau cyn cael eu trechu, roedd y
Natsïaid yn barod i aberthu ieuenctid yr
Almaen, hyd yn oed pan nad oedd gobaith
ennill. Mae'n debyg mai dyma'r ffotograff
olaf o Hitler cyn ei farwolaeth.

Roedd disgwyl i ferched yr
Almaen helpu drwy nyrsio
milwyr neu bobl oedd
wedi'u hanafu mewn
cyrchoedd awyr.

Mae'r plant hyn ym Mhrydain yn cysgodi mewn ffos wrth i awyrennau'r RAF ymladd ag awyrennau bomio'r Almaen ym Mrwydr Prydain. Mae cymysgedd o gyffro ac ofn ar eu hwynebau.

Aeth llawer o blant yn faciwîs o ddinasoedd fel Llundain a Lerpwl i gefn gwlad Cymru lle roedd hi'n gymharol ddiogel. I rai oedd heb golli perthnasau agos roedd y rhyfel fel antur gyffrous yn aml.

"Mae pawb wedi marw. Dim ond Tanya sydd ar ôl."

Tanya Savicheva, merch 12 oed yn cofnodi sut cafodd ei theulu ei ddifodi yn ystod gwarchae Leningrad yn 1942. Bu hi fyw am ddwy flynedd arall, gan farw yn 1944, pan ddaeth y gwarchae i ben.

Mae'r ffotograff hwn wedi cael ei ddefnyddio'n aml i ddangos pa mor greulon oedd y Natsïaid. Mae milwyr yn nôl plant ac oedolion Iddewig ofnus yng Ngeto Warsaw yn 1943. Mae'n debyg iawn eu bod nhw i gyd ar y ffordd i siambrau nwy Auschwitz neu wersyll marwolaeth arall yng Ngwlad Pwyl. Honnir i'r bachgen bach oroesi.

Mae'r plant yma yn Ffrainc yn chwarae ar hen danc Almaenig oedd wedi'i adael ar ôl y brwydro yn Normandi, wedi glaniadau *D Day* yn haf 1944.

Doedd eu rhyfel nhw ddim mor ddyrchrynllyd â rhyfel plant Rwsia neu Wlad Pwyl, ond maen nhw'n dal i fod yn lwcus i fod yn fyw. Collodd tua 20,000 o sifiliaid Ffrainc eu bywydau adeg yr ymladd yn Normandi.

Llinell o ffoaduriaid o'r Almaen yn ffoi wrth i fyddin yr Undeb Sofietaidd symud ymlaen. Gyda'r ceffylau tenau mae gwartheg ac anifeiliaid eraill.

Y Diwedd

Hyd yn oed wrth i'r Rhyfel ddod i'w ddiwedd anochel, roedd arweinwyr yr Almaen a Japan yn benderfynol o beidio ag ildio. Yn yr Almaen, roedd y Natsïaid yn barod i saethu unrhyw un oedd yn mentro awgrymu bod y Rhyfel wedi'i golli. Roedd arweinwyr milwrol Japan yn benderfynol o ddal ati i ymladd hefyd. Ym mlwyddyn olaf y Rhyfel, roedd miliynau eto'n mynd i farw – yn filwyr a sifiliaid – wrth i'r Cynghreiriaid ymosod ar ddinasoedd Japan a'r Almaen a'u troi'n adfeilion.

Awyrfilwyr Prydain,
yn ystod yr ymosodiad
ar Arnhem.

Rhyddhau Paris

Ym mis Awst 1944, anfonodd
Hitler orchymyn i ddinistrio
Paris, ond gwrthododd yr
Uwch-gapten, y Cadfridog
Choltitz, ufuddhau.

Wrth i'r Cynghreiriaid ddod
at y ddinas, aeth heddlu
Ffrainc, oedd wedi bod o
dan reolaeth yr Almaen, ar
streic. Yna daeth grwpiau'r
Gwrthsafiad i'r amlwg.

Wrth i'r Cynghreiriaid fynd
i mewn i Baris, ymladdodd
rhai o filwyr yr Almaen yn
benderfynol, ond ychydig
o filwyr a laddwyd.

Yr Almaen o'r Gorllewin

Roedd siom i'r rhai oedd yn disgwyl i'r Rhyfel orffen
yn gyflym ar ôl Glaniadau Normandi: doedd yr
Almaen ddim yn agos at ildio. Cymerodd hi chwe
wythnos i'r Cynghreiriaid dorri allan o'r ardaloedd
lle glanion nhw, ac yna bu brwydro ffyrnig yn
Normandi. Yna, o'r diwedd, aeth y Cynghreiriaid
am Baris, a gafodd ei rhyddhau ar 25 Awst 1944.

Un bont yn rhy bell

Cafodd dinasoedd Brwsel ac Antwerp yng Ngwlad
Belg eu rhyddhau ar 3 a 4 Medi, ac wythnos yn
ddiweddarach, croesodd y Cynghreiriaid i mewn
i'r Almaen. Ond yma arhoson nhw. Roedd angen
egwyl i gael gorffwys a rhagor o gyflenwadau.
  Awgrymodd Montgomery gynllun mentrus:
defnyddio milwyr parasiwt i gipio tair pont yn yr
Iseldiroedd, i agor y ffordd i'r Almaen o'r gogledd.
Cipion nhw bontydd yn Eindhoven a Nijmegan,
ond methon nhw ddal y bwysicaf, Arnhem. O'r
10,000 o ddynion a laniodd mewn parasiwt yn
Arnhem, cafodd 8,000 eu lladd neu eu cipio.

The Battle of the Bulge

Wrth i'r Cynghreiriaid lyfu eu clwyfau, ymosododd yr Almaen yn sydyn ar ardal Ardennes yng Ngwlad Belg ar 16 Rhagfyr. Defnyddiodd yr Almaenwyr danciau newydd pwerus a milwyr yn gwisgo iwnifform UDA i ysgubo drwy filwyr y Cynghreiriaid, gan achosi panig. Cafodd y frwydr ei galw'n 'The Battle of the Bulge', ar ôl y twll mawr a wnaeth yn llinell y Cynghreiriaid.

   Ond, ar 23 Rhagfyr, daeth awyr las yn lle'r cymylau, a chyfle i'r Cynghreiriaid ddefnyddio eu hawyrennau gwell. Daeth ymosodiad yr Almaenwyr i stop, wrth i awyrennau'r Cynghreiriaid ddifrodi eu tanciau a'u magnelau.

Cyfrif y golled

Y frwydr oedd un o rai mwyaf gwaedlyd y Rhyfel yn y Gorllewin. Collodd UDA 19,000 dyn, ond collodd yr Almaen fwy. Dinistriwyd tua 600 tanc a gwn mawr, a lladdwyd neu gipiwyd hyd at 100,000 dyn. Fyddai Hitler byth yn gallu ymosod gyda llu mor fawr eto.

Yr Almaen yn ei dinistrio ei hun

Aeth llu mawr o'r Cynghreiriaid i mewn i'r Almaen ym mis Mawrth 1945. Mewn sawl lle, ymladdodd y Natsïaid gan ddefnyddio'r un tactegau â'r rhai ar Ffrynt y Dwyrain.

Wrth encilio, dinistrion nhw orsafoedd trydan, ysbytai, ysgolion a phontydd. Cafodd llawer o ardal ddiwydiannol Dyffryn Ruhr ei gorlifo'n fwriadol. Ond roedd rhai o arweinwyr yr Almaen yn poeni eu bod yn dinistrio eu gwlad eu hunain fel hyn.

Milwyr yr Almaen yn mynd heibio i gerbydau'r Cynghreiriaid oedd ar dân yn ystod eu gwrthymosodiad mentrus ym mis Rhagfyr 1944.

Yr Almaen o'r Dwyrain

Byddai unrhyw fyddin gyffredin wedi syrthio ar ôl colli dwy frwydr Stalingrad a Kursk. Ond roedd byddin yr Almaen yn arbennig. Mae'n debyg mai hi oedd y fyddin oedd â'r offer a'r hyfforddiant gorau yn y byd, gan fod y milwyr ifanc wedi treulio eu plentyndod yn cael eu dysgu ym mudiad Ieuenctid Hitler y Natsïaid. Hyd yn oed wrth wynebu colli, dalion nhw ati i ymladd yn ddewr a phenderfynol.

Ond roedd milwyr y Sofietiaid yn dal i yrru byddinoedd Hitler 'nôl i'r Almaen, er i Rwsia golli llawer mwy o ddynion ymhob brwydr. Erbyn hyn roedd llawer mwy o adnoddau gan Rwsia na'r Almaen; roedd y fyddin ddwywaith cymaint.

Blwyddyn y Deg Buddugoliaeth

Erbyn diwedd 1944, roedd Rwsia fwy neu lai wedi gwthio'r Almaen allan o Wcráin a Belorwsia (Belarus heddiw). Aethon nhw ymlaen i Fwlgaria, Romania, Hwngari a Gwledydd y Baltig, ac, yn olaf, i Wlad Pwyl. 'Blwyddyn y Deg Buddugoliaeth' oedd enw Rwsia ar 1944.

Colledion y Sofietiaid

Lladdwyd tua 18,000 o Rwsiaid (milwyr a sifiliaid) am bob diwrnod o'r Rhyfel. Bu farw cyfanswm o dros 20 miliwn.

Mae colledion fel hyn yn gwneud i frwydrau mawr Ffrynt y Gorllewin a'r Cefnfor Tawel edrych fel ysgarmesoedd bach.

Mae'r ffigurau'n dangos holl ddioddefaint y bobl Sofietaidd pan oedd yr Almaen yn meddiannu eu gwlad.

Milwyr Sofietaidd, yn dangos eu medalau ymladd yn falch, mewn ffotograff propaganda ar y ffin â'r Almaen.

Carcharorion rhyfel yr Almaen yn gorymdeithio drwy Foscow. Ar ôl iddyn nhw fynd heibio, golchwyd y strydoedd i ddangos dirmyg atyn nhw. Maen nhw'n wynebu dyfodol ansicr ac ychydig fyddai'n cyrraedd adref.

Gwrthryfel Warsaw

Ym mis Gorffennaf 1944, wrth i'r lluoedd Sofietaidd gyrraedd Warsaw, prifddinas Gwlad Pwyl o dan yr Almaen, galwodd radio Moscow ar i'r bobl wrthryfela yn erbyn yr Almaenwyr. Cyn pen pedwar diwrnod, roedd 'Byddin Gartref' o 40,000 dyn a dynes wedi adennill llawer o'r ddinas. Ond ni chafodd y fyddin Gartref y gefnogaeth roeddent wedi'i disgwyl gan y Sofietiaid. Mewn brwydro creulon o dŷ i dŷ a barodd 63 diwrnod, lladdwyd dros 200,000 o sifiliaid, mae'n debyg.

Sylweddolodd y Pwyliaid eu bod wedi colli, ac ildion nhw. Gallen nhw fod wedi cael eu saethu fel partisaniaid, ond cafodd y 15,000 aelod o'r Fyddin Gartref fynd i wersylloedd carcharorion rhyfel.

Cyrch Bagration

Rhwng misoedd Mehefin ac Awst 1944, mewn un cyrch mawr gyda'r enw cod Bagration, dinistriodd y Sofietiaid luoedd yr Almaen yng nghanolbarth Rwsia. Collodd yr Almaen niferoedd enfawr: lladdwyd 300,000, anafwyd 250,000 a chipiwyd 150,000.

Nawr roedd llinell flaen yr Almaen fel roedd hi ar ddechrau 1941. Roedd milwyr a sifiliaid yr Almaen yn wynebu gelyn oedd yn benderfynol o ddial am y dioddefaint a'r dinistr roedd y Natsïaid wedi'u hachosi.

Yn ystod Gwrthryfel Warsaw, roedd yr ymladdwyr Pwylaidd yn gwisgo rhwymyn braich coch a gwyn i ddangos eu bod yn brwydro.

81

Berlin yn cwympo

Ym mis Chwefror 1945, roedd y Rwsiaid ar lannau afon Oder, awr i'r dwyrain o Berlin. Arhoson nhw i fagu nerth. I'r gorllewin, roedd lluoedd Prydain ac UDA hefyd yn dod yn nes at y brifddinas, ond roedden nhw wedi penderfynu rhyngddyn nhw mai'r Sofietiaid fyddai'n meddiannu Berlin.

Hen ddynion neu fechgyn ofnus yn eu harddegau, fel hwn, oedd y rhai olaf i amddiffyn yr Almaen. Bydden nhw'n cael eu saethu tasen nhw'n gwrthod ymladd.

Byncer Hitler

Treuliodd Hitler y rhan fwyaf o fisoedd olaf y Rhyfel yn ei fyncer o dan strydoedd Berlin. Wrth iddo ddechrau colli ei bwyll, roedd yn rhoi cyfarwyddiadau i fyddinoedd nad oeddent yn bodoli ac yn beirniadu ei bobl fwyfwy.

"Y rhai israddol sydd ar ôl wedi'r frwydr; oherwydd bydd y rhai da wedi syrthio," cyhoeddodd.

Heb ddangos unrhyw edifeirwch am yr hyn roedd yr Almaenwyr wedi'i ddioddef yn y Rhyfel, roedd yn dal i feio'r Iddewon am y gwrthdaro.

Ffodd miloedd o bobl Berlin i'r gorllewin, gan adael dinas wedi'i dinistrio gan fomiau. Wrth i'r Sofietiaid ddod yn nes, recriwtiwyd byddin flêr o gyn-filwyr blinedig, hen ddynion a bechgyn i amddiffyn y ddinas.

Yn yr ymladd yn y strydoedd wedyn, cafodd Berlin ragor o ddifrod. Byddai sgwadiau o Natsïaid yn mynd ar batrôl drwy'r strydoedd, gan ladd unrhyw filwr nad oedd ar ddyletswydd. Ymladdodd rhai o'r unedau mwyaf penboeth wyneb yn wyneb â'r milwyr Sofietaidd.

Y frwydr olaf

Mae'n anodd cael y niferoedd cywir, ond efallai i 450,000 milwr yr Almaen farw yn y frwydr dros Berlin, gyda 125,000 sifiliad. Ar ochr y Sofietiaid, lladdwyd 81,000 ac anafwyd 280,000. I fyddin oedd wedi gwthio'r Almaen 'nôl o Stalingrad a Moscow, roedd yn dal i fod yn bris uchel i'w dalu am y frwydr a ddaeth â'r Rhyfel i ben.

Ar 30 Ebrill, gyda milwyr y Sofietiaid yn dod yn nes, lladdodd Hitler ei hun yn ei fyncer tanddaearol. Ar 7 Mai 1945, ildiodd byddin yr Almaen ac roedd y Rhyfel yn Ewrop ar ben.

Diwedd Hitler

Ar ôl i Hitler ac Eva Braun, ei wraig newydd, ladd eu hunain, taflodd swyddogion Natsïaidd danwydd dros eu cyrff a'u llosgi.

Wedyn daeth milwyr Sofietaidd o hyd i'r cyrff a'u claddu'n gyfrinachol. Ond cawson nhw eu codi a'u llosgi eto. Cafodd y llwch ei wasgaru yn afon Elbe.

Yn un o ffotograffau enwocaf y Rhyfel, mae un o filwyr Rwsia'n mentro ei fywyd i godi baner yr Undeb Sofietaidd ar senedd yr Almaen, y *Reichstag*, yng nghanol Berlin oedd wedi'i ddinistrio'n llwyr.

Môr-filwyr UDA yn dadlwytho nwyddau ar ynys Iwo Jima. Oherwydd cryfder milwrol UDA, roedd hi'n anochel y byddai Japan yn colli.

Kamikaze

Ers mis Hydref 1944, roedd Japan wedi annog mwy a mwy o beilotiaid dibrofiad i daro eu hawyrennau'n fwriadol i mewn i longau ac awyrennau bomio UDA.

Roedd y peilotiaid hyn, o'r enw *kamikaze* (sef 'gwynt dwyfol'), yn llwyddiannus iawn yn Okinawa. Mewn 800 ymosodiad, suddwyd 32 llong UDA a difrodwyd 368 arall.

Llongau awyren oedd y prif dargedau. Hefyd byddai cyrchoedd hunanladdiad gan longau tanfor, cychod cyflym a thaflegrau â chriw o'r enw *Ohka* ('blodau ceirios') oedd yn cael eu lansio o awyrennau mwy.

Iwo Jima ac Okinawa

Wrth i'r rhyfel yn Ewrop ddod i ben yn waedlyd, roedd Môr-filwyr UDA yn dal i ymladd y Japaneaid yn y Cefnfor Tawel. Ond roedd dau rwystr mawr yn y ffordd: ynysoedd Iwo Jima ac Okinawa. Tiriogaeth Japan oedden nhw, a doedd neb wedi goresgyn Japan ers 4,000 mlynedd.

Ymgyrch Iwo Jima

Nawr roedd ynys fach folcanig Iwo Jima yn gartref i 20,000 milwr Japan. Roedden nhw wedi adeiladu amddiffynfeydd a thwneli. Daeth 800 llong a 300,000 o filwyr UDA i oresgyn yr ynys. Roedd hyn yn cynnwys 100,000 môr-filwr – wedi'u hyfforddi i ymladd ar y tir a'r môr. Glaniodd y rhai cyntaf heb broblem.

Ond, wrth i'r traethau lenwi â dynion ac offer, dyma Fynydd Suribachi, y copa yn ne'r ynys, yn 'goleuo fel coeden Nadolig' wrth i filwyr Japan danio o'r bynceri cudd. Roedd y gwrthymosodiad wedi dechrau. Cymerodd hi fis i UDA ddinistrio garsiwn milwyr Japan.

Ymlaen i Okinawa

Roedd 100,000 o filwyr Japan wedi creu twneli a chaerau i amddiffyn ynys hir, gul Okinawa lle doedd dim pobl yn byw. Dechreuodd ymosodiad UDA ar 1 Ebrill 1945, ond cymerodd hi 13 wythnos o ymladd, yn aml mewn glaw trwm, i gipio'r ynys. Roedd mwd a llaid maes y gad mor ofnadwy fel bod Okinawa'n cael ei gymharu â ffosydd y Rhyfel Byd Cyntaf.

   Y lle nesaf i UDA oedd tir mawr Japan – tasg nad oedden nhw'n edrych ymlaen ati.

Ymladd i'r pen

Ar Iwo Jima, collodd UDA 6,000 dyn, ac anafwyd 17,000 arall. Ymladdodd pob un ond 216 milwr Japan i'r pen neu cyflawnon nhw hunanladdiad.

Wrth gipio Okinawa, lladdwyd 5,500 Americanwr ac anafwyd 51,000 arall. Ildiodd 11,000 milwr Japan, er mai ond 10% o'r fyddin oedd hyn, roedd yn dangos bod Japan yn colli calon.

Yn drist iawn, lladdwyd tua 150,000 o sifiliaid neu cyflawnon nhw hunanladdiad. Roedd propaganda Japan wedi dweud y byddai milwyr barbaraidd UDA yn eu treisio, eu poenydio a'u lladd nhw a'u plant.

Roedd tirlun Okinawa oedd wedi'i ddifetha'n llwyr, yn atgoffa milwyr hynaf UDA am feysydd y gad yn y Rhyfel Byd Cyntaf.

Bomiau atomig

Tynnwyd y ffotograff hwn o Hiroshima'n fuan ar ôl i'r bom ddinistrio'r ddinas. Roedd y criw bomio'n defnyddio siâp T y ddwy bont ar y dde fel targed i ollwng y bom.

Yn y 1930au, roedd gwyddonwyr wedi darganfod bod gan rai atomau egni anhygoel a allai wneud difrod mawr. Yn ystod y Rhyfel, dechreuodd ras i ddatblygu bom atomig. Costiodd cynllun UDA, o'r enw *Manhattan Project*, ddau biliwn doler, gyda Robert Oppenheimer, ffisegydd gwych o UDA, yn cyfarwyddo 600,000 o weithwyr. Roedd mor gyfrinachol, doedd Harry Truman yr Is-Arlywydd ddim yn gwybod amdano hyd yn oed.

Erbyn dechrau haf 1945, roedd bom gan dîm UDA yn barod i'w brofi. Roedd y craidd o ddefnyddiau ymbelydrol tua maint oren, ond roedd mor ddinistriol â 20,000 tunnell o TNT, y ffrwydryn mwyaf cyffredin ar y pryd. Ar ôl gwneud prawf tanio llwyddiannus yn niffeithwch New Mexico, dewiswyd Hiroshima, porthladd a storfa arfau bwysig yn Japan, fel y targed cyntaf.

Dwy ddinas wedi'u dinistrio

Ar 6 Awst 1945, hedfanodd *Enola Gay*, awyren fomio B-29 dros Hiroshima, gan ollwng y bom ar y ddinas. Lladdodd y ffrwydrad 80,000 yn syth, a dinistrio'r rhan fwyaf o'r ddinas. Roedd y difrod mor fawr, credai'r rhai a oroesodd fod diwedd y byd wedi dod. Ymhen wythnosau, roedd 80,000 wedi marw o anafiadau a salwch ymbelydredd.

Roedd llywodraeth Japan yn methu credu'r adroddiadau am effaith ryfeddol y bom atomig. Dri diwrnod wedyn, gollyngodd *Bock's Car*, awyren B-29 arall, fom dros ddinas Nagasaki. Yr un diwrnod, aeth milwyr yr Undeb Sofietaidd i mewn i Manchuria, China, oedd o dan reolaeth Japan, gan fwriadu goresgyn Japan ei hun. Penderfynodd y Japaneaid na allen nhw fentro bom atomig arall a goresgyniad gan y Sofietiaid. Felly cytunon nhw i ildio ar 15 Awst.

Japan yn ildio

Llofnododd Japan i ildio ar 2 Medi 1945, ar long *USS Missouri* ym Mae Tokyo. Roedd hi'n chwe blynedd a diwrnod ar ôl i'r Rhyfel ddechrau yng Ngwlad Pwyl.

I ddangos grym UDA, roedd y bae yn llawn o'u llongau rhyfel gyda channoedd o awyrennau'n hedfan uwchben. Roedd hi'n amlwg pam roedd Japan wedi colli'r Rhyfel.

Cost dynol y Rhyfel

Bu farw o leiaf 50 miliwn o bobl, yn filwyr ac yn sifiliaid. Mae rhai yn cynnig ffigwr uwch.

- Yr Undeb Sofietaidd: o leiaf 20 miliwn

- China: hyd at 20 miliwn

- Yr Almaen: 5.5 miliwn

- Japan: 3.6 miliwn

- Prydain a'r Ymerodraeth Brydeinig: 490,000

- UDA: 292,000

- Gwlad Pwyl: dros 6 miliwn (gan gynnwys 3.5 miliwn o Iddewon) – un o bob 6 o'r boblogaeth

Y byd ar ôl y Rhyfel

Ar ddiwedd y Rhyfel, roedd cymysgedd o ddathlu ac anobaith. Roedd partïon yn strydoedd trefi'r gwledydd oedd wedi ennill. Roedd pobl yn teimlo'n hapus ond yn euog wrth gofio ffrindiau oedd wedi marw. Nawr roedd y dyfodol yn ansicr.

Roedd angen cael tai newydd i bobl oedd wedi ffoi o achos yr ymladd. Roedd rhaid ailadeiladu dinasoedd a threfi ac roedd angen cael llywodraethau democrataidd yn lle'r unbeniaid oedd wedi syrthio. Roedd gwersi wedi'u dysgu o'r cytundeb trychinebus ar ddiwedd y Rhyfel Byd Cyntaf. Ond cafodd gwleidyddion ac arweinwyr milwrol yr Almaen a Japan, a'r rhai oedd wedi cydweithio â nhw, eu rhoi ar brawf a'u cosbi am droseddau rhyfel.

Yn un o wersylloedd y Cynghreiriaid i bobl a oedd wedi gorfod ffoi o achos y rhyfel, mae Henri Cartier-Bresson, ffotograffydd o Ffrainc, yn dal yr eiliad mae rhywun yn y gwersyll yn adnabod menyw oedd yn rhoi gwybodaeth i'r Natsïaid. Bydd hi'n lwcus i ddianc yn fyw.

Achosion llys Nuremberg

Cafodd troseddwyr rhyfel yr Almaen eu rhoi ar brawf mewn llys rhyngwladol yn Nuremberg. Crogwyd y troseddwyr gwaethaf.

Mae darlun y Fonesig Laura Knight o Achos Llys Nuremberg (ar y chwith) yn dychmygu gwleidyddion a chadlywyddion y Natsïaid yn y doc gyda'r dinistr a achoson nhw yn Ewrop o'u cwmpas.

Rhannu'r Almaen

Rhannwyd yr Almaen, a Berlin, y brifddinas, yn bedwar parth wedi'u meddiannu. Yn 1949, cafodd dwy wlad ar wahân eu creu: Dwyrain a Gorllewin yr Almaen. Yn y Dwyrain, roedd Berlin yn dal wedi'i rhannu rhwng y Dwyrain a'r Gorllewin, a chodwyd wal yn 1961.

O 1945 tan 1989, y Sofietiaid oedd â rheolaeth wleidyddol ar Ddwyrain yr Almaen. Yn 1989, chwalwyd Wal Berlin, ac ailunwyd yr Almaen yn fuan wedyn.

Y canlyniad

I helpu i ailadeiladu Ewrop, cynigiodd llywodraeth UDA gymorth i bob gwlad, ar ba ochr bynnag roedden nhw. Hefyd cafodd Japan help i ailadeiladu.

Yn y cyfamser, oherwydd y Rhyfel, daeth yr Undeb Sofietaidd i reoli dwyrain a'r rhan fwyaf o ganol Ewrop. Gydag UDA, daeth yn archbŵer newydd, a'r ddau'n elynion mawr. Am y pedwar degawd nesaf, roedd bygythiad o ryfel byd arall, a hyd yn oed difodiant niwclear.

Yr Ail Ryfel Byd oedd digwyddiad mwyaf dinistriol yr oes fodern. Taflodd gysgod dros weddill yr 20fed ganrif ac mae ei ganlyniad gyda ni heddiw o hyd.

Cyd-barth Prydain ac America

BERLIN

Parth Prydain

Parth y Sofietiaid

Parth Ffrainc

Parth UDA

Llinell Amser yr Ail Ryfel Byd

Dyma'r prif ddigwyddiadau yn stori'r Ail Ryfel Byd.

Medi 1939

Yr Almaen Natsïaidd yn goresgyn Gwlad Pwyl. Prydain a Ffrainc yn cyhoeddi rhyfel ar yr Almaen ar 3 Medi.

Ebrill 1940

Yr Almaen yn goresgyn Gorllewin Ewrop ac yn ennill sawl brwydr gyda thactegau *Blitzkrieg*.

Mehefin 1940

Ffrainc yn ildio. Prydain a'r Gymanwlad yn unig sy'n dal i ryfela â'r Almaen.

Gorffennaf 1940

Brwydr Prydain yn dechrau. Yr Almaen yn methu trechu'r RAF. Ym mis Medi, Hitler yn gohirio ei gynllun i oresgyn Prydain.

Mehefin 1941

Yr Almaen Natsïaidd yn lansio *Cyrch Barbarossa* i oresgyn yr Undeb Sofietaidd.

Medi 1941 i Ionawr 1944

Gwarchae Leningrad.

Hydref 1941

U-boats yr Almaen yn suddo 32 o longau'r Cynghreiriaid mewn noson, yn ystod Brwydr yr Iwerydd sy'n para drwy'r Rhyfel i gyd.

Hydref 1941

Milwyr yr Almaen yn cael ei stopio cyn cyrraedd Moscow, mewn brwydr sy'n para tan fis Ionawr 1942.

Rhagfyr 1941

Awyrennau Japan yn ymosod ar ganolfan UDA yn Pearl Harbor. Yr Almaen yn cyhoeddi rhyfel ar UDA hefyd.

Rhagfyr 1941 i Fai 1942

Japan yn concro rhan helaeth o ddwyrain y Cefnfor Tawel, gan gynnwys Hong Kong, Singapore a Filipinas.

Ionawr 1942

Yng Nghynhadledd Wannsee ger Berlin, yr arweinwyr Natsïaidd yn cynllunio'r Ateb Terfynol: llofruddio miliynau o Iddewon.

Mai 1942

Brwydr y Môr Cwrel yn atal Japan rhag ehangu yne're Cefnfor Tawel.

Mehefin 1942

Brwydr Midway yn atal Japan rhag ehangu yng ngorllewin y Cefnfor Tawel.

Awst 1942

Brwydr Stalingrad yn dechrau. Mae'n gorffen ym mis Chwefror 1943 a lluoedd yr Almaen yn colli'n drwm.

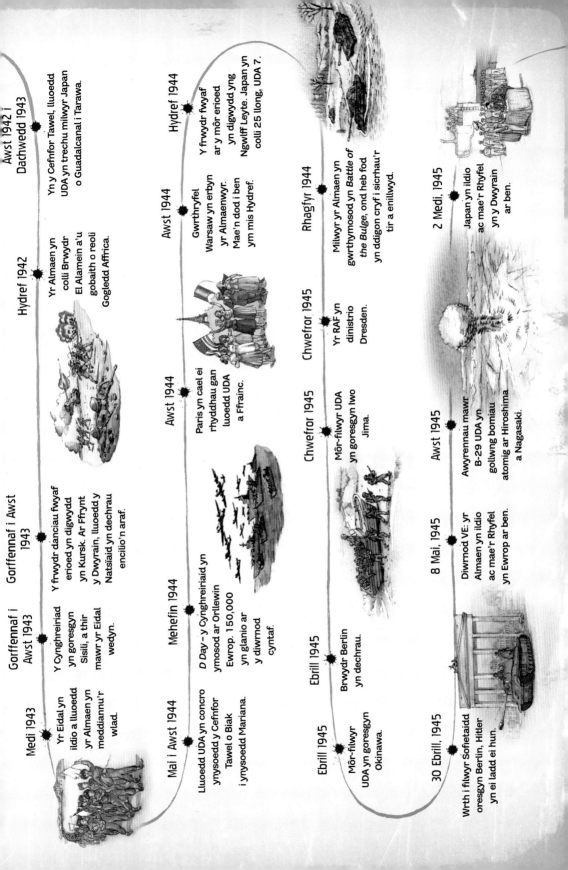

Gorffennaf i Awst 1943
Y frwydr danciau fwyaf erioed yn digwydd yn Kursk. Ar Ffrynt y Dwyrain, lluoedd y Natsiaid yn dechrau encilio'n araf.

Awst 1942 i Dachwedd 1943
Yn y Cefnfor Tawel, lluoedd UDA yn trechu milwyr Japan o Guadalcanal i Tarawa.

Hydref 1942
Yr Almaen yn colli Brwydr El Alamein a'u gobaith o reoli Gogledd Affrica.

Hydref 1944
Y frwydr fwyaf ar y môr erioed yn digwydd yng Ngwlff Leyte. Japan yn colli 25 llong, UDA 7.

Gorffennaf i Awst 1943
Y Cynghreiriad yn goresgyn Sisili, a thir mawr yr Eidal wedyn.

Medi 1943
Yr Eidal yn ildio a lluoedd yr Almaen yn meddiannu'r wlad.

Awst 1944
Gwrthryfel Warsaw yn erbyn yr Almaenwyr. Mae'n dod i ben ym mis Hydref.

Awst 1944
Paris yn cael ei rhyddhau gan luoedd UDA a Ffrainc.

Rhagfyr 1944
Milwyr yr Almaen yn gwrthymosod yn *Battle of the Bulge*, ond heb fod yn ddigon cryf i sicrhau'r tir a enillwyd.

Chwefror 1945
Yr RAF yn dinistrio Dresden.

Chwefror 1945
Môr-filwyr UDA yn goresgyn Iwo Jima.

2 Medi, 1945
Japan yn ildio ac mae'r Rhyfel yn y Dwyrain ar ben.

Mehefin 1944
D Day – y Cynghreiriaid yn ymosod ar Orllewin Ewrop. 150,000 yn glanio ar y diwrnod cyntaf.

Mai i Awst 1944
Lluoedd UDA yn concro ynysoedd y Cefnfor Tawel o Biak i ynysoedd Mariana.

Awst 1945
Awyrennau mawr B-29 UDA yn gollwng bomiau atomig ar Hiroshima a Nagasaki.

Ebrill 1945
Brwydr Berlin yn dechrau.

Ebrill 1945
Môr-filwyr UDA yn goresgyn Okinawa.

8 Mai, 1945
Diwrnod VE: yr Almaen yn ildio ac mae'r Rhyfel yn Ewrop ar ben.

30 Ebrill, 1945
Wrth i filwyr Sofietaidd oresgyn Berlin, Hitler yn ei ladd ei hun.

Geirfa

Mae'r eirfa hon yn esbonio rhai o'r geiriau y gallwch chi eu gweld wrth ddarllen am yr Ail Ryfel Byd. Mae'r geiriau mewn *italig* yn ymddangos yn y rhestr.

arfau Mae arfau'n cynnwys bwledi, grenadau a *sieliau*.

ategwr Person sy'n gweithio i gynorthwyo'r lluoedd arfog, ond nad yw'n ymladd ei hun.

Axis Term am y gwledydd oedd yn ymladd yn erbyn y *Cynghreiriaid*. Yn bennaf, roedd yn golygu'r Almaen, yr Eidal a Japan, ond roedd hefyd yn cynnwys Slofacia, Rwmania, Hwngari, Croatia a Bwlgaria.

bataliwn Uned yn y lluoedd arfog sy'n cynnwys nifer mawr o filwyr wedi'u trefnu'n nifer o unedau gwahanol.

Blitzkrieg Ymosodiad sydyn, gan ddefnyddio tanciau, milwyr mewn cerbydau ac awyrennau. Defnyddiodd byddin yr Almaen hyn yn effeithiol iawn ar ddechrau'r Rhyfel. (Ystyr y gair yw 'rhyfel mellt'.)

bom atomig Arf ffrwydrol sy'n rhyddhau egni mawr drwy rannu elfennau fel wraniwm neu blwtoniwm.

bomiau tân Bomiau sy'n cynnau fflamau wrth fwrw'r targed.

byncer Safle amddiffynnol tanddaearol neu siambr amddiffynnol.

carcharor rhyfel Milwr yr oedd yr ochr arall wedi'i gipio a'i ddal yn ystod y rhyfel.

cenedlaetholdeb Y gred fod gwledydd yn elwa o fod yn annibynnol, yn hytrach na chydweithio â gwledydd eraill. Gall cenedlaetholdeb eithafol arwain at y gred fod un wlad yn well na'r lleill i gyd.

comiwnyddiaeth System wleidyddol lle mae'r wladwriaeth yn rheoli'r cyfoeth a'r diwydiant ar ran y bobl. Comiwnyddion yw'r enw ar y bobl sy'n dilyn y system hon.

Cynghrair y Cenedloedd Corff diplomyddol a gafodd ei sefydlu ar ôl y Rhyfel Byd Cyntaf, fel bod gwledydd yn ceisio datrys anghydfod heb fynd i ryfel.

Cynghreiriaid, y Y gwledydd a ymladdodd yn erbyn yr *Axis*. Prif bwerau'r Cynghreiriaid oedd Prydain a'i hymerodraeth, yr Undeb Sofietaidd, UDA a Ffrainc.

cyrch awyr Ymosodiad ar darged, tref neu ddinas yn aml, gan fomiau wedi'u gollwng gan awyrennau'r gelyn.

chwyldro Pan fydd arweinydd neu lywodraeth yn cael ei d(d)ymchwel, fel arfer drwy drais.

Dirwasgiad Mawr, y Cyfnod o ddiweithdra a thlodi byd-eang, a ddechreuodd ar ôl Cwymp Wall Street yn 1929.

dyhuddo Y polisi o adael i'r Almaen ehangu ei thiriogaeth cyn yr Ail Ryfel Byd, er mwyn osgoi gwrthdaro.

economi System ariannol y wlad.

faciwîs *Sifiliaid* sy'n cael eu hanfon o ardal beryglus i ardal ddiogel. Yn ystod yr Ail Ryfel Byd, aeth llawer o *sifiliaid* o drefi a dinasoedd Lloegr i gefn gwlad Cymru.

garsiwn Canolfan neu gaer filwrol.

geto Ardal boblog o ddinas wedi'i hamgáu lle roedd y Natsïaid yn cadw llawer iawn o'r Iddewon ar wahân i weddill y boblogaeth.

gwersyll crynhoi Carchar mawr lle mae *sifiliaid* a charcharorion gwleidyddol yn cael eu cadw yn ystod rhyfel, fel arfer o dan amodau caled.

gwersyll marwolaeth *Gwersyll crynhoi* lle mae'r carcharorion yn cael eu lladd neu eu gweithio i farwolaeth yn fwriadol.

gwladgarwch Caru eich gwlad a bod yn barod i ymladd drosti.

gwn peiriant (*machine gun*) Gwn sy'n gallu tanio bwledi'n gyflym iawn heb fod angen ei ail-lwytho.

gwrthwynebydd cydwybodol (*conscientious objector*) Rhywun oedd yn gwrthod mynd i ymladd oherwydd bod hynny yn erbyn ei gydwybod. Roedd rhaid mynd o flaen tribiwnlys i esbonio hyn.

Gymanwlad, y Cymdeithas o wledydd a oedd yn arfer bod yn aelodau o'r *ymerodraeth* Brydeinig.

ffanatigiaeth Ufudd-dod eithafol, y tu hwnt i unrhyw reswm fel arfer.

ffasgaeth System lywodraethu y mae *unben* yn ei chynnal fel arfer. Yn aml mae *cenedlaetholdeb* eithafol yn nodwedd arni, ac mae'r bobl sy'n gwrthwynebu'n cael eu gormesu drwy eu dychryn a'u sensro.

ffoadur (*refugee*) Un sy'n gorfod gadael ei famwlad. Fel arfer mae'n ffoi rhag peryglon fel rhyfel, newyn neu erledigaeth.

Holocost Yr enw a roddwyd y lladdfa enfawr a drefnodd y Natsïaid i'r Iddewon a grwpiau eraill yn Ewrop yn ystod yr Ail Ryfel Byd.

iawndal Taliadau a wnaeth yr Almaen i sawl un o wledydd y Cynghreiriaid ar ôl cael ei threchu yn y Rhyfel Byd Cyntaf, oherwydd iddi achosi'r Rhyfel.

kamikase Gair Japanaeg sy'n golygu 'gwynt dwyfol', a oedd yn cyfeirio at awyren yn llawn ffrwydron gyda pheilot a fyddai'n ei ladd ei hun yn yr ymosodiad.

Luftwaffe Enw llu awyr yr Almaen cyn ac ar ôl y Rhyfel.

llinell flaen Y ffin y mae dwy fyddin yn wynebu ei gilydd ar ei hyd.

Llinell Maginot Llinell o amddiffynfeydd tanddaearol, 140km (87 milltir) o hyd, a adeiladodd y Ffrancwyr ar hyd eu ffin â'r Almaen yn ystod y 1930au. Y bwriad oedd atal ymosodiad gan yr Almaen.

llong awyren Llong ryfel fawr gyda dec hir i awyrennau godi oddi arni a glanio arni yn y môr.

llong danfor Llong sy'n gallu teithio o dan y dŵr am gyfnodau hir.

llong ryfel Llong sydd ag arfau ac sydd wedi'i hamddiffyn yn dda.

llongau confoi Llongau masnach sy'n teithio mewn grŵp, gyda llongau rhyfel i'w hamddiffyn rhag ymosodiad.

maglau ffŵl (*boobytraps*) maglau/trapiau cudd er mwyn anafu neu ladd.

meddiannu Cipio ardal a chymryd rheolaeth arni.

Môr-filwr (*Marine*) Aelod o Gorfflu Môr-filwyr UDA, milwyr o'r UDA oedd yn ymladd ar dir ac ar fôr.

partisan Aelod o grŵp o *ymladdwyr y Gwrthsafiad* annibynnol ac arfog.

Plaid Natsïaidd Y blaid wleidyddol dreisgar a *chenedlaethol* yr oedd Adolf Hitler yn ei harwain. Ei henw llawn oedd 'Plaid Genedlaethol Sosialaidd Gweithwyr yr Almaen'.

propaganda Gwybodaeth sydd wedi cael ei chreu er mwyn hyrwyddo neu niweidio achos gwleidyddol.

radar System sy'n defnyddio tonnau radio i ganfod a phennu pellter gwrthrychau sydd yn yr awyr.

RAF The Royal Air Force – llu awyr Prydain. Daeth peilotiaid o Brydain a'r *Gymanwlad* a hefyd o wledydd wedi'u *meddiannu* yn Ewrop.

rhyfel cartref Rhyfel lle mae byddinoedd o'r un wlad yn ymladd ei gilydd.

saethwr cudd (*sniper*) Dyn neu ddynes â dryll sy'n saethu milwyr y gelyn o rywle sy'n gudd.

siel Taflegryn sy'n cynnwys ffrwydron.

sifiliaid Unrhyw un nad yw'n aelod o'r lluoedd arfog.

SS uned elît o luoedd arfog yr Almaen. Yn wreiddiol roedden nhw'n gwarchod Hitler ac yn llu diogelwch arbennig yn yr Almaen a'r gwledydd wedi'u *meddiannu*. Mae SS yn dod o'r gair Almaeneg *Schutzstaffel*, sy'n golygu 'llu diogelwch'.

swyddog Uwch aelod o'r lluoedd arfog.

tiriogaeth Ardal ddaearyddol o dan reolaeth wleidyddol gwlad arall.

torpido Dyfais ffrwydrol sy'n gallu teithio drwy ddŵr. Gall gael ei lansio o awyren, llong neu long danfor.

U-boat Llong danfor yr Almaen. O 'Unterseeboot', sy'n golygu 'cwch tanfor' yn Almaeneg.

unben Rheolwr sy'n rheoli drwy orfodi pobl i'w ddilyn.

ymbelydredd Egni y mae atomau yn ei roi. Gyda rhai defnyddiau, fel wraniwm a phlwtoniwm, gall yr ymbelydredd hwn fod yn niweidiol.

Ymddiffeithio (*Scorched Earth*) Tacteg filwrol sy'n cynnwys dinistrio unrhyw beth a allai fod o ddefnydd i'r gelyn, wrth symud ymlaen drwy ardal neu wrth encilio oddi wrthi.

ymerodraeth Grŵp o wledydd neu diriogaethau o dan reolaeth gwlad arall.

ymladdwyr y gwrthsafiad (*resistance fighters*) Aelodau mudiadau cudd a oedd yn ymladd i ddymchwel lluoedd y gelyn oedd yn *meddiannu* eu gwlad, yn enwedig yn Ffrainc.

Mynegai

Cydnabyddiaethau

Gwnaed pob ymdrech i olrhain a chydnabod deiliaid hawlfraint. Dymuna'r cyhoeddwyr gwreiddiol gydnabod y sefydliadau a'r unigolion isod am eu caniatâd i atgynhyrchu deunydd ar y tudalennau canlynol: t=top, c=canol, g=gwaelod; d=de, ch=chwith

Ymchwil lluniau gan Ruth King   Ystumio digidol gan John Russell

Cyhoeddwyd gyntaf ym Mhrydain o dan y teitl *The Story of the Second World War* yn 2014 gan Usborne Publishing Ltd., Usborne House, 83-85 Saffron Hill, London, EC1N 8RT, Lloegr.
Hawlfraint y llyfr gwreiddiol © 2012 Usborne Publishing Ltd. Cedwir pob hawl.
Cyhoeddwyd gyntaf yn Gymraeg gan Rily Cyf, Blwch Post 20, Hengoed CF82 7YR.
Ariennir yn rhannol gan Lywodraeth Cymru fel rhan o'i rhaglen gomisiynu adnoddau addysgu a dysgu Cymraeg a dwyieithog. Addasiad Cymraeg gan Elin Meek. Hawlfraint yr addasiad Cymraeg © 2015 Rily Cyf.
ISBN 978-1-84967-206-1. Argraffwyd yn Dubai, UAE.

Ariennir yn Rhannol gan
Lywodraeth Cymru
Part Funded by
Welsh Government